La memoria

303

Andrea Camilleri

La forma dell'acqua

Sellerio editore
Palermo

1994 © *Sellerio editore via Siracusa 50 Palermo*

1999 *Quattordicesima edizione*

La forma dell'acqua / Andrea Camilleri. - 14. ed. - Palermo: Sellerio, 1999
173 p.; 17 cm. - (La memoria; 303)
I. CAMILLERI, Andrea
CDD 853.914

(a cura di S. & T. - Torino)

La forma dell'acqua

Uno

Lume d'alba non filtrava nel cortiglio della « Splendor », la società che aveva in appalto la nettezza urbana di Vigàta, una nuvolaglia bassa e densa cummigliava completamente il cielo come se fosse, stato tirato un telone grigio da cornicione a cornicione, foglia non si cataminava, il vento di scirocco tardava ad arrisbigliarsi dal suo sonno piombigno, già si faticava a scangiare parole. Il caposquadra, prima di assegnare i posti, comunicò che per quel giorno, e altri a venire, Peppe Schèmmari e Caluzzo Brucculeri sarebbero stati assenti giustificati. Più che giustificata infatti l'assenza: i due erano stati arrestati la sera avanti mentre tentavano di rapinare il supermercato, armi alla mano. A Pino Catalano e a Saro Montaperto, giovani geometri debitamente disoccupati come geometri, ma assunti in qualità di « operatori ecologici » avventizi in seguito al generoso intervento dell'onorevole Cusumano, per la cui campagna elettorale i due si erano battuti corpo e anima (esattamente nell'ordine: il corpo facendo assai più di quanto l'anima fosse disposta a fare), il caposquadra assegnò il posto lasciato vacante da Peppe e Caluzzo, e precisamente il settore detto la mànnara, perché in tempi immemorabili pare che un pastore avesse usato tenervi le sue capre. Era un largo tratto di macchia mediterranea alla periferia del paese che si spingeva quasi fin sulla pilaia, con alle spalle i resti di un grande stabilimento chimico, inaugurato dall'onnipresente onorevole Cusumano quando pareva che forte tirasse il vento delle magnifiche sorti e progressive, poi quel venticello rapidamente si era cangiato in un filo di brezza e quindi si era abbacato del tutto: era stato capace però di fare più danno di un tornado, lasciandosi alle spalle una scia di cassintegrati e disoccupati. Per evitare che le torme vaganti in paese di nìvuri e meno nìvuri, senegalesi e algerini, tunisini e libici, in quella fabbrica facessero nido, torno torno vi era stato alzato un alto muro, al di sopra del quale le strutture corrose da malottempo, incuria e sale marino, ancora svettavano, sempre più simili all'architettura di un Gaudí in preda ad allucinogeni.

La mànnara, fino a qualche tempo prima, aveva rappresentato per quelli che allora poco nobilmente si chiamavano munnizzari, un travaglio di tutto riposo: in mezzo a fogli di carta, buste di plastica, lattine di birra o di cocacola, cacate mal ricoperte o lasciate al vento, ogni tanto spuntava uno sperso preservativo, che uno poteva farci pensiero, se ne aveva gana e fantasia, e immaginarsi i particolari di quell'incontro. Da un anno a questa parte però i preservativi erano un mare, un tappeto, da quando un ministro dal volto buio e chiuso, degno di una tavola lombrosiana, aveva estratto, da pensieri ancora più bui e chiusi del suo volto, un'idea che subito gli era parsa risolutiva per i problemi dell'ordine pubblico nel sud. Di quest'idea aveva fatto partecipe il suo collega che dell'esercito si occupava e che pareva nèsciri paro paro da un'illustrazione di Pinocchio, quindi i due avevano risolto d'inviare in Sicilia alcuni reparti militari a scopo di « controllo del territorio », in modo d'alleggerire carabinieri, poliziotti, servizi d'informazione, nuclei speciali operativi, guardie di Finanza, della stradale, della ferroviaria, della portuale, membri della Superprocura, gruppi antimafia, antiterrorismo, antidroga, antirapina, antisequestro, e altri per brevità omessi, in ben altre faccende affaccendati. In seguito a questa bella pensata dei due eminenti statisti, figli di mamma piemontesi, imberbi friulani di leva che fino al giorno avanti si erano arricreati a respirare l'aria fresca e pungente delle loro montagne, si erano venuti a trovare di colpo ad ansimare penosamente, ad arrisaccare nei loro provvisori alloggi, in paesi che stavano sì e no a un metro d'altezza sul livello del mare, tra gente che parlava un dialetto incomprensibile, fatto più di silenzi che di parole, d'indecifrabili movimenti delle sopracciglia, d'impercettibili increspature delle rughe. Si erano adattati come meglio potevano, grazie alla loro giovane età, e una mano consistente gli era stata data dai vigatesi stessi, inteneriti da quell'aria sprovveduta e spaesata che i picciotti forasteri avevano. A rendere però meno duro il loro esilio ci aveva pensato Gegè Gullotta, uomo di fervido ingegno, fino a quel momento costretto a soffocare le sue naturali doti di ruffiano nelle vesti di piccolo spacciatore di roba leggera. Venuto per vie tanto traverse quanto ministeriali a conoscenza dell'imminente arrivo dei soldati, Gegè aveva avuto un lampo di genio e per rendere operativo e concreto quel lampo si era prontamente rivolto alla benevolenza di chi di dovere onde ottenere tutti gli innumerevoli e complicati permessi indispensabili. A chi di dovere: a chi cioè il territorio realmente controllava e non si sognava nemmeno lontanamente di rilasciare concessioni su carta bollata. In breve, Gegè poté inaugurare alla mànnara il suo mercato specializzato in carne fresca e ricca varietà di droghe sempre leggere. La carne fresca in maggioranza proveniva dai paesi dell'est, finalmente liberati dal giogo comunista che, come ognun sa, negava ogni dignità alla persona umana: tra i cespugli e l'arenile della mànnara, nottetempo, quella riconquistata dignità tornava a risplendere. Non mancavano però femmine del terzo mondo, travestiti, transessuali, femminelli napoletani e viados brasiliani, ce n'erano per tutti i gusti, uno scialo, una festa. E il commercio fiorì, con grande soddisfazione dei militari, di Gegè, e di chi a Gegè aveva accordato i permessi ricavandone giuste percentuali.

Pino e Saro si avviarono verso il posto di lavoro ammutando ognuno il proprio carrello. Per arrivare alla mànnara ci voleva una mezzorata di strada se fatta a pedi lento come loro stavano facendo. Il primo quarto d'ora se lo passarono mutàngheri, già sudati e impiccicaticci. Poi fu Saro a rompere il silenzio.

« Questo Pecorilla è un cornuto » proclamò.

« Un grandissimo cornuto » rinforzò Pino.

Pecorilla era il caposquadra addetto all'assegnazione dei luoghi da pulire e chiaramente pasceva odio profondo verso chi aveva studiato, lui che era riuscito a guadagnarsi la terza, a quarant'anni, perché Cusumano aveva parlato chiaro col maestro. E così strumentiava in modo che il travaglio più avvilente e gravoso cadesse sempre sulle spalle dei tre diplomati che aveva in forza. Quella stessa mattina infatti a Ciccu Loreto aveva assegnato il tratto di banchina da dove salpava il postale per l'isola di Lampedusa. Veniva a significare che Ciccu, ragioniere, sarebbe stato costretto a ragionare con quintali di rifiuti che vocianti frotte di turisti, multilingue sì ma accomunati dal totale disprezzo verso la pulizia personale e pubblica, avevano lasciato dietro di loro in attesa dell'imbarco nelle

giornate di sabato e domenica. E magari Pino e Saro, alla
mànnara, avrebbero trovato il virivirì dopo due giorni di
libera uscita dei militari.

Arrivati all'incrocio di via Lincoln con viale Kennedy
(a Vigàta esistevano anche un cortile Eisenhower e un
vicolo Roosevelt), Saro si fermò.

« Faccio un salto a casa a sentire come sta u picciliddru » disse all'amico. « Aspettami, questione d'un minuto ».

Non attese la risposta di Pino e s'infilò nel portone di
uno di quei grattacieli nani, arrivavano al massimo a dodici piani, nati all'incirca nello stesso periodo della fabbrica chimica e ben presto disastrati, se non abbandonati,
al pari di questa. Per chi giungeva per via di mare, Vigàta
s'apprisintava come la parodia di Manhattan su scala ridotta: ed ecco, forse, spiegata la toponomastica.

Nenè, il picciliddro, se ne stava vigilante, dormiva sì e
no due ore a notte, il resto lo passava a occhi sgriddrati,
senza mai piangere, e quando mai s'era visto un nicareddro che non lacrimava? Lo consumava giorno appresso
giorno un male scògnito di cagione e cura, i medici di Vigàta non se ne facevano capaci, sarebbe stato necessario
portarlo fuori, da qualche grosso specialista, ma i soldi fagliavano. Nenè, appena incrociò gli occhi del padre s'abbuiò, una ruga gli si formò sulla fronte. Non sapeva parlare, ma assai chiaramente si era espresso con quel muto
rimprovero su chi l'aveva messo in quei lacci.

« Sta tanticchia meglio, la febbre gli sta calando » gli
disse Tana, la moglie, tanto per farlo contento.

Il cielo si era aperto, ora avvampava un sole da spaccare
le pietre. Saro il suo trabiccolo l'aveva già svacantato una
decina di volte nella discarica ch'era sorta, a iniziativa pri-

vata, dove un tempo c'era l'uscita posteriore della fabbrica, e si sentiva la schina rotta. Arrivato a tiro di un viottolo che costeggiava il muro di protezione e che immetteva nella strada provinciale, vide che a terra c'era qualcosa che violentemente sparlucciava. Si chinò a taliare meglio. Era un ciondolo a forma di cuore, enorme, tempestato di brillanti e con al centro un diamante grosso assai. C'era ancora infilata la catena per tenerlo al collo, d'oro massiccio, rotta in un punto. La destra di Saro scattò, s'impadronì della collana, gliela mise nella sacchetta. La mano destra: che a Saro parse avesse agito di testa sua, senza che il ciriveddro le avesse detto niente, ancora ammammaloccuto per la sorpresa. Si rialzò, vagnato di sudore, taliandosi attorno, ma non si vedeva anima creata.

Pino, che s'era scelto il tratto di mànnara più vicino all'arenile, a un tratto s'addunò del muso di un'automobile che, a una ventina di metri di distanza, spuntava da una macchia più spessa delle altre. Si fermò imparpagliato, non era possibile che qualcuno si fosse attardato fino a quell'ora, le sette di mattina, a ficcare con una buttana. Principiò ad avvicinarsi cautamente, un piede leva e l'altro metti, quasi piegato in due, e quando fu all'altezza dei fari anteriori si susì di colpo. Non successe niente, nessuno gli gridò di farsi i cazzi suoi, la macchina pareva vacante. Si avvicinò ancora e finalmente vide la sagoma confusa di un uomo, immobile allato al posto di guida, la testa appoggiata all'indietro. Pareva calato in un sonno profondo. Ma a pelle, a fiato, Pino capì che c'era qualcosa che non quatrava. Si voltò e cominciò a fare voci, chiamando Saro. Il quale arrivò col fiato grosso e gli occhi strammàti.

« Che c'è? Che minchia vuoi? Che ti piglia? ».

Pino sentì una sorta d'aggressione nelle domande dell'amico, ma l'attribuì alla corsa che quello s'era fatta per raggiungerlo.

« Talìa cca ».

Facendosi coraggio, Pino si avvicinò dal lato di guida, cercò di aprire la portiera, non ci arriniscì, era chiusa con la sicura. Aiutato da Saro, che ora pareva essersi calmato, tentò di raggiungere l'altro sportello, sul quale poggiava in parte il corpo dell'uomo, ma non ce la fece perché l'auto, una grossa BMW verde, era così accostata alla siepe da impedire che da quella parte qualcuno potesse farsi vicino. Ma sporgendosi e graffiandosi sui rovi riuscirono a vedere meglio la faccia dell'uomo. Non dormiva, aveva gli occhi aperti e fissi. Nello stesso momento in cui s'accorsero che l'uomo era astutato, Pino e Saro aggelarono di scanto, di spavento: non per la vista della morte, ma perché avevano riconosciuto il morto.

« Mi pare di starmi facendo una sauna » disse Saro mentre correva sulla provinciale verso una cabina telefonica. « Ora una botta fridda, ora una botta càvuda ».

Si erano messi d'accordo appena liberati dalla paralisi provocata dal riconoscimento dell'identità del morto: prima ancora d'avvertire la liggi, era necessario fare un'altra telefonata. Il numero dell'onorevole Cusumano lo sapevano a memoria e Saro lo compose, ma Pino non fece fare manco uno squillo.

« Riattacca subito » disse.

Saro eseguì di riflesso.

« Non vuoi che l'avvisiamo? ».

« Pensiamoci sopra un momento, pensiamoci bene, l'occasione è importante. Dunque, tanto tu quanto io sappiamo che l'onorevole è un pupo ».

« Che viene a dire? ».

« Che è un pupo nelle mani dell'ingegnere Luparello, che è, anzi era, tutto. Morto Luparello, Cusumano non è nessuno, una pezza di piedi ».

« Allura? ».

« Allura nenti ».

Si avviarono verso Vigàta, ma dopo pochi passi Pino fermò Saro.

« Rizzo » disse.

« Io a quello non gli telefono, mi scanto, non lo conosco ».

« Manco io, però gli telefono lo stesso ».

Il numero Pino se lo fece dare dal servizio informazioni. Erano quasi le otto meno un quarto, però Rizzo rispose al primo squillo.

« L'avvocato Rizzo? ».

« Sono io ».

« Mi scusassi avvocato se la disturbo all'ora che è... abbiamo trovato l'ingegnere Luparello.. ci pare morto ».

Ci fu una pausa. Poi Rizzo parlò.

« E perché lo viene a contare a me? ».

Pino stunò, tutto s'aspettava meno quella risposta, gli parse stramma.

« Ma come?! Lei non è... il suo migliore amico? Ci è parso doveroso... ».

« Vi ringrazio. Ma prima di tutto è necessario che facciate il dovere vostro. Buongiorno ».

Saro era stato a sentire la telefonata, con la guancia appoggiata a quella di Pino. Si taliarono, perplessi. A Rizzo era come se gli avessero contato di avere trovato un tale catafero, di cui non sapevano il nome.

« E che minchia, era amico suo, no? » sbottò Saro.

« E che ne sappiamo? Capace che negli ultimi tempi si erano sciarriati » si consolò Pino.

« E ora che facciamo? ».

« Andiamo a fare il dovere nostro, come dice l'avvocato » concluse Pino.

Si avviarono verso il paese, diretti al commissariato. Di andare dai carabinieri manco gli era passato per l'anticamera del cervello, li comandava un tenente milanese. Il commissario invece era di Catania, di nome faceva Salvo Montalbano, e quando voleva capire una cosa, la capiva.

Due

« Ancora ».

« No » disse Livia e continuò a fissarlo con occhi fatti più luminosi dalla tensione amorosa.

« Ti prego ».

« No, ho detto di no ».

« Mi piace essere sempre un pochino forzata » si ricordò che lei una volta gli aveva sussurrato all'orecchio e allora, eccitato, tentò d'infilare il ginocchio tra le cosce serrate, mentre le agguantava con violenza i polsi e le allargava le braccia fino a farla parere crocefissa.

Si taliarono un attimo, ansanti, poi lei cedette di colpo.

« Sì » disse. « Sì. Ora ».

E proprio in quel momento il telefono squillò. Senza manco aprire gli occhi Montalbano tese un braccio ad afferrare non tanto la cornetta quanto i lembi fluttuanti del sogno che inesorabilmente svaniva.

« Pronto! ». Era rabbioso verso l'importuno.

« Commissario, abbiamo un cliente ». Riconobbe la voce del brigadiere Fazio; l'altro pari grado, Tortorella, se ne stava ancora all'ospedale per una brutta pallottola alla pancia sparatagli da uno che voleva passare per mafioso ed era invece un miserabile cornuto da mezza lira. Nel loro gergo, cliente significava un morto di cui loro dovevano occuparsi.

« Chi è? ».

« Ancora non lo sappiamo ».

« Come l'hanno ammazzato? ».

« Non lo sappiamo. Anzi, non sappiamo manco se è stato ammazzato ».

« Brigadiè, non ho capito. Tu m'arrisbigli senza sapere una minchia? ».

Respirò a fondo per farsi passare l'arrabbiatura che non aveva senso e che l'altro sopportava con santa pacienza.

« Chi l'ha trovato? ».

« Due munnizzari alla mànnara, dentro un'automobile ».

« Arrivo subito. Tu intanto telefona a Montelusa, fai venire giù la Scientifica e avverti il giudice Lo Bianco ».

Mentre stava sotto la doccia, arrivò alla conclusione che il morto non poteva che essere un appartenente alla cosca Cuffaro di Vigàta. Otto mesi prima, probabilmente per motivi di delimitazioni territoriali, si era accesa una feroce guerra tra i Cuffaro e i Sinagra di Fela; un morto al mese, alternativamente e con bell'ordine: uno a Vigàta e uno a Fela. L'ultimo, tale Mario Salino, era stato sparato a Fela dai vigatesi, dunque questa volta era toccato evidentemente a uno dei Cuffaro.

Prima di uscire di casa, abitava da solo una villetta proprio sulla spiaggia dalla parte opposta alla mànnara, gli venne desiderio di telefonare a Livia a Genova. Lei rispose subito, assonnata.

« Scusami, ma avevo voglia di sentirti ».

« Stavo sognandoti » fece lei. E aggiunse: « Eri con me ».

Montalbano stava per dirle che magari lui l'aveva sognata, ma venne trattenuto da un assurdo pudore. Domandò invece:

« E che facevamo? ».

« Quello che non facciamo da troppo tempo » rispose lei.

Al commissariato, a parte il brigadiere, trovò solo tre agenti. Gli altri erano appresso al proprietario di un negozio di vestiti che aveva sparato alla sorella per una questione d'eredità e poi era scappato. Aprì la porta della camera di sicurezza. I due munnizzari erano seduti sulla panca, stretti l'uno all'altro, pallidi malgrado la calura.

« Aspettatemi che poi torno » disse loro Montalbano e i due manco arrispunnero, rassegnati. Era cosa cògnita che quando uno incappava, per qualsiasi scascione, nella liggi, la facenna si faceva sempre longa.

« Qualcuno di voi ha avvertito i giornalisti? » spiò il commissario ai suoi. Fecero cenno di no.

« Badate: non li voglio tra i coglioni ».

Timidamente, Galluzzo si fece avanti, alzò due dita come per spiare di andare al cesso.

« Manco mio cognato? ».

Il cognato di Galluzzo era il giornalista di « Televigàta » che si occupava di cronaca nera e Montalbano s'immaginò la lite in famiglia se Galluzzo non gli avesse detto niente. Difatti Galluzzo stava facendo occhi piatosi e canini.

« Va bene. Che venga solo dopo la rimozione del cadavere. E niente fotografi ».

Partirono con la macchina di servizio, lasciando Giallombardo di guardia. Al volante ci stava Gallo, oggetto, con Galluzzo, di facili battute tipo « Commissario, che si dice nel pollaio? », e Montalbano, conoscendolo bene, l'ammonì.

« Non ti mettere a correre, non ce n'è bisogno ».

Alla curva della Chiesa del Carmine, Peppe Gallo non si tenne più e sgommò, accelerando. Si sentì un colpo secco, come una pistolettata, la macchina sbandò. Scesero: il copertone destro posteriore pendeva scoppiato, a lungo era stato lavorato da una lama affilata, i tagli erano evidenti.

« Cornuti e figli di buttana! » esplose il brigadiere.

Montalbano s'arrabbiò sul serio.

« Ma se lo sapete tutti che una volta ogni quindici giorni ci tagliano le gomme! Cristo! E io ogni mattina v'avverto: taliàtele prima di partire! E voi invece ve ne fottete, stronzi! Fino a quando qualcuno non ci rimetterà l'osso del collo! ».

Per una cosa o per l'altra, ci vollero dieci minuti buoni per cangiare la ruota e quando arrivarono alla mànnara, la Scientifica di Montelusa era già sul posto. Era in fase meditativa, come la chiamava Montalbano: vale a dire che cinque o sei agenti firriavano torno torno al posto dove c'era l'auto, la testa china, le mani generalmente in tasca o darrè la schiena. Parevano filosofi assorti in profondi pensieri, invece camminavano con gli occhi sgriddrati a cercare per terra un indizio, una traccia, un'orma. Appena lo vide, Jacomuzzi, il capo della Scientifica, gli corse incontro.

« Come mai non ci sono i giornalisti? ».

« Non li ho voluti io ».

« Questa volta ti sparano che gli hai fatto bucare una notizia così ». Era chiaramente agitato. « Lo sai chi è il morto? ».

« No. Dimmelo tu ».

« È l'ingegnere Silvio Luparello ».

« Cazzo! » fece per tutto commento Montalbano.

« E lo sai com'è morto? ».

« No. E manco lo voglio sapere. Lo vedrò da me ».

Jacomuzzi tornò tra i suoi, offeso. Il fotografo della Scientifica aveva finito, ora toccava al dottor Pasquano. Montalbano vide che il medico era costretto a travagliare in una posizione scomoda, stava col corpo mezzo infilato dentro l'automobile e trafficava verso il posto allato a quello di guida, dove s'intravedeva una sagoma scura. Fazio e gli agenti di Vigàta davano una mano ai colleghi di Montelusa. Il commissario si accese una sigaretta, si voltò a taliare verso la fabbrica chimica. L'affascinava, quella rovina. Decise che un giorno sarebbe tornato a scattare delle fotografie che avrebbe mandato a Livia, spiegandole, con quelle immagini, cose di sé e della sua terra che la donna ancora non riusciva a capire.

Vide arrivare la macchina del giudice Lo Bianco che scese agitato.

« Ma è proprio vero che il morto è l'ingegner Luparello? ».

Si vede che Jacomuzzi non aveva perduto tempo.

« Pare proprio di sì ».

Il giudice raggiunse il gruppo della Scientifica, cominciò a parlare concitatamente con Jacomuzzi e col dottor Pasquano che aveva estratto dalla borsa una bottiglia di alcool e si disinfettava le mani. Dopo un pezzo bastevole a far sì che Montalbano venisse cotto dal sole, quelli della Scientifica salirono in macchina, partirono. Passandogli allato, Jacomuzzi non lo salutò. Montalbano sentì astutarsi alle sue spalle la sirena di un'ambulanza. Ora toccava a lui, doveva dire e fare, non c'erano santi. Si scosse dal torpore in cui stava crogiolandosi, si diresse verso l'automobile col morto. A metà strada lo bloccò il giudice.

« Il corpo può essere rimosso. E data la notorietà del

povero ingegnere, prima ci sbrighiamo e meglio è. Ad ogni modo lei mi tenga giornalmente informato dello sviluppo delle indagini ».

Fece una pausa e poi, a mitigare la perentorietà di quelle parole appena dette:

« Mi telefoni quando lo ritiene opportuno ».

Altra pausa. E quindi:

« Sempre nelle ore d'ufficio, sia chiaro ».

Si allontanò. Nelle ore d'ufficio, e non a casa. A casa, era notorio, il giudice Lo Bianco si dedicava alla stesura di una ponderosa e poderosa opera: *Vita e imprese di Rinaldo e Antonio Lo Bianco, maestri giurati dell'Università di Girgenti, al tempo di re Martino il giovane (1402-1409)*, che egli riteneva suoi, per quanto nebulosi, antenati.

« Com'è morto? » spiò al dottore.

« Guardi lei » rispose Pasquano facendosi di lato.

Montalbano infilò la testa dentro l'automobile che pareva un forno (nel caso specifico crematorio), taliò per la prima volta il cadavere e subito pensò al questore.

Pensò al questore non perché fosse sua abitudine elevare il pensiero al superiore gerarchico al principio di ogni indagine, ma solo perché col vecchio questore Burlando, che gli era amico, una decina di giorni prima avevano parlato di un libro di Ariès, *Storia della morte in Occidente*, che avevano entrambi letto. Il questore aveva sostenuto che ogni morte, anche la più abietta, conservava sempre una sua sacralità. Montalbano aveva ribattuto, ed era sincero, che in ogni morte, magari in quella di un Papa, non arriniscìva a vederci niente di sacro.

Avrebbe voluto averlo ora al fianco, il signor questore, a taliare quello che lui stava taliando. L'ingegnere era sempre stato un tipo elegante, estremamente curato in ogni dettaglio del corpo, ora però era senza cravatta, la camicia stazzonata, gli occhiali per traverso, la giacchetta col bavero incongruamente alzato a mezzo, i calzini tanto calati e laschi da coprire i mocassini. Ma quello che più colpì il commissario fu la vista dei pantaloni abbassati fino alle ginocchia, le mutande che mostravano il loro bianco all'interno dei pantaloni stessi, la camicia arrotolata assieme alla canottiera fino a metà del petto.

E il sesso oscenamente, sconciamente, esposto, grosso, villoso, in completo contrasto con le minute fattezze del resto del corpo.

« Ma com'è morto? » ripeté la domanda al dottore uscendo dalla macchina.

« Mi pare evidente, no? » rispose Pasquano sgarbato. E continuò: « Lei lo sapeva che il povero ingegnere era stato operato al cuore da un grosso cardiochirurgo di Londra? ».

« Veramente non lo sapevo. L'ho visto mercoledì scorso in televisione e m'è parso in perfetta salute ».

« Pareva, ma non era così. Sa, in politica sono tutti come cani. Appena sanno che non puoi difenderti, ti azzannano. Sembra che a Londra gli abbiano messo due by-pass, è stata, dicono, una cosa difficile ».

« A Montelusa chi l'aveva in cura? ».

« Il mio collega Capuano. Si faceva controllare ogni settimana, ci teneva alla salute, voleva sempre comparire in forma ».

« Che dice, parlo con Capuano? ».

« Perfettamente inutile. Quello che è successo qua è di una evidenza palmare. Al povero ingegnere è venuto il capriccio di farsi una bella scopata da queste parti, magari con una troia esotica, se l'è fatta e c'è rimasto ».

Si addunò che lo sguardo di Montalbano era perso.

« Non la convinco? ».

« No ».

« E perché? ».

« Sinceramente non lo so nemmeno io. Domani mi fa avere i risultati dell'autopsia? ».

« Domani?! Ma lei è un pazzo! Prima dell'ingegnere ho quella picciotta di una ventina d'anni stuprata in un casolare e ritrovata mangiata dai cani dieci giorni dopo, poi tocca a Fofò Greco che gli hanno tagliato la lingua e le palle e l'hanno appeso a morire a un albero, poi viene... ».

Montalbano troncò il macabro elenco.

« Pasquano, parliamoci chiaro, quando mi fa avere i risultati? ».

« Dopodomani, se intanto non mi fanno correre a dritta e a mancina a taliare altri morti ».

Si salutarono. Montalbano chiamò il brigadiere e i suoi uomini, disse loro quello che dovevano fare e quando far caricare il corpo sull'ambulanza. Si fece riaccompagnare al commissariato da Gallo.

« Poi torni indietro a pigliare gli altri. E se ti metti a correre, ti spacco le corna ».

Pino e Saro firmarono il verbale. Nel quale era minutamente descritto ogni loro movimento, prima e dopo la scoperta del cadavere. Dal verbale mancavano due fatti importanti perché i munnizzari si erano ben guardati dai contarli alla liggi. Il primo era che loro avevano riconosciuto quasi subito il morto, il secondo che si erano affrettati ad avvisare della scoperta l'avvocato Rizzo. Se ne tornarono a casa, Pino che pareva lontano di testa e Saro che si toccava di tanto in tanto la sacchetta dentro la quale teneva la collana.

Per ventiquattr'ore almeno non sarebbe capitato niente. Montalbano se ne andò nel pomeriggio alla villetta, si gettò sul letto, calò in un sonno di tre ore. Poi si alzò, e siccome il mare a metà settembre era una tavola, si fece un lungo bagno. Tornato alla villetta, si preparò un piatto di spaghetti con la polpa di ricci di mare, accese la televisione. Tutti i telegiornali locali parlavano naturalmente della morte dell'ingegnere, ne tessevano gli elogi, ogni tanto faceva la sua comparsa qualche politico con la faccia di circostanza a ricordare i meriti del defunto e i problemi che la scomparsa comportava, ma uno che fosse uno, manco l'unico telegiornale d'opposizione, s'azzardò a dire dove e in che modo il compianto Luparello fosse morto.

Tre

Saro e Tana ebbero la mala nottata. Dubbio non c'era che Saro avesse scoperto una trovatura, simile a quella che si contava nei cunti, dove pastori pezzenti s'imbattevano in giarre piene di monete d'oro o in agniddruzza ricoperti di brillanti. Ma qui la quistione era diversa assà dall'antico: la collana, di fattura moderna, era stata persa il giorno avanti, su questo la pinione era certa, e a stimarla a occhio e croce una fortuna valeva: possibile che nessuno si era apprisintato a dire che era sua? Assittàti al tavolino di cucina, la televisione addrumata e la finestra spalancata come ogni sera, per evitare che i vicini, da un minimo mutamento, principiassero a sparlare facendosi occhiuti, Tana ribatté prontamente all'intenzione manifestata dal marito di andarsela a vendere quel giorno stesso, appena rapriva il negozio dei fratelli Siracusa, gioiellieri.

« Prima di tutto » disse « tu e io siamo persone oneste. E perciò non possiamo andarci a vendere una cosa che non è nostra ».

« Ma che vuoi che facciamo? Che vado dal caposquadra, gli dico che ho trovato la collana, che gliela consegno e che lui la faccia riavere a chi appartiene quando verrà a reclamarla? Tempo dieci minuti quel gran cornuto di Pecorilla se la va a vendere per conto suo ».

« Possiamo fare diversamente. Ci teniamo in casa la collana e intanto avvertiamo Pecorilla. Se qualcuno viene a ripigliarsela, gliela diamo ».

« E che ci guadagniamo? ».

« La percentuale, dice che ce n'è una per chi trova cose così. Quanto vale secondo te? ».

« Una ventina di milioni » rispose Saro e gli parse di avere sparato una cifra troppo grossa. « Mettiamo perciò che a noi vengono a toccare due milioni. Mi spieghi come facciamo con due milioni a pagare tutte le cure per Nenè? ».

Discussero fino all'alba e ci posero fine solo perché Saro doveva andare a travagliare. Ma avevano raggiunto un accordo provvisorio che in parte salvava la loro onestà: la collana se la sarebbero tenuta senza dire una parola a nuddru, avrebbero lasciato passare una simana e poi, se nessuno si fosse apprisintato a dire che era sua, sarebbero andati a impegnarla. Quando Saro, bello e pronto, andò a baciare il figlio, ebbe una sorpresa: Nenè profondamente dormiva, sereno, come se fosse venuto a conoscere che suo padre aveva trovato il modo di farlo addiventare sano.

Magari a Pino quella notte non ci poté sonno. Testa speculativa, gli piaceva il teatro e da attore aveva recitato nelle volenterose, ma sempre più rare, filodrammatiche di Vigàta e dintorni. Di teatro leggeva; appena lo scarso guadagno glielo permetteva, correva nell'unica libreria di Montelusa ad accattarsi commedie e drammi. Viveva con la madre che aveva una piccola pensione, veri e propri problemi di mangiare non ne pativano. Sua madre s'era fatta contare tre volte la scoperta del morto, costringendolo a illustrare meglio un dettaglio, un particolare. Lo faceva per poterlo ricontare il giorno appresso alle sue amiche di chiesa e di mercato, gloriandosi di sé che era venuta a canuscenza di tutte quelle cose e del figlio che era stato tanto bravo da andarsi ad infilare dentro una storia come quella. Verso mezzanotte finalmente se ne era andata a curcarsi e dopo picca pure Pino aveva toccato letto. Ma in quanto a dormire non c'era stato verso, c'era qualcosa che lo faceva votare e rivotare sotto il lenzuolo. Testa speculativa, si è detto, e perciò, dopo due ore passate invano a tentare di chiudere gli occhi, razionalmente s'era fatto persuaso che non era cosa, quella era proprio notte di Natale. Si era alzato, si era fatto una lavatina, ed era andato ad assittarsi nello scrittoietto che aveva nella cammara di letto. Ripeté a se stesso il racconto che aveva fatto alla madre, e tutto andò bene, ogni cosa tornava, lo zirlìo che aveva in testa si teneva in sottofondo. Era come il gioco di « acqua acqua, foco foco »: fino a quando ripassava tutto quello che aveva detto, lo zirlìo pareva dire: acqua, acqua. E quindi il disturbo doveva per forza nascere da qualche cosa che alla madre non aveva contato. E infatti non le aveva detto le stesse cose che, d'accordo con Saro, a Montalbano aveva taciute: il pronto riconoscimento del cadavere e la telefonata all'avvocato Rizzo. E qui lo zirlìo si fece fortissimo, vociava: foco, foco! Allora pigliò carta e penna e trascrisse il dialogo avuto con l'avvocato parola per parola. Lo rilesse e fece delle correzioni, sforzandosi la memoria fino a scrivere, come in un copione di teatro, magari le pause. Quando l'ebbe davanti, lo rilesse nella versione definitiva. C'era qualcosa che non funzionava in quel dialogo. Ma oramai era troppo tardi, doveva andare alla « Splendor ».

La lettura dei due quotidiani siciliani, uno che si stampava a Palermo e l'altro a Catania, venne a Montalbano interrotta, verso le dieci del mattino, da una telefonata del Questore che gli arrivò in ufficio.

« Devo trasmetterle dei ringraziamenti » esordì il Questore.

« Ah, sì? E da parte di chi? ».

« Da parte del vescovo e del nostro ministro. Monsignor Teruzzi si è compiaciuto della carità cristiana, ha detto proprio così, da lei, come dire, messa in atto nell'evitare che giornalisti e fotografi, privi di scrupoli e di decenza potessero ritrarre e diffondere sconce immagini del cadavere ».

« Ma io quell'ordine l'ho dato che ancora non sapevo chi fosse il morto! L'avrei fatto per chiunque ».

« Ne sono al corrente, m'ha riferito tutto Jacomuzzi. Ma perché avrei dovuto rivelare questo trascurabile particolare al santo prelato? Per disilluderlo sulla sua, sua di lei, carità cristiana? È una carità, carissimo, che acquista tanto maggior valore quanto alta è la posizione dell'oggetto della carità stessa, mi spiego? Pensi che il vescovo ha citato persino Pirandello ».

« Ma no! ».

« Sì, invece. Ha citato i *Sei personaggi*, quella battuta in cui il padre dice che uno non può restare agganciato per sempre a un gesto poco onorevole, dopo una vita integerrima, a causa di un momentaneo sfaglio. Come a dire: non si può tramandare ai posteri l'immagine dell'ingegnere con i pantaloni momentaneamente calati ».

« E il ministro? ».

« Quello Pirandello non l'ha citato perché manco sa dove sta di casa, ma il concetto, tortuoso e bofonchiato, era lo stesso. E dato che appartiene allo stesso partito di

Luparello, si è permesso d'aggiungere una parola in più ».

« Quale? ».

« Prudenza ».

« Che c'entra la prudenza con questa storia? ».

« Non lo so, io la parola gliela passo para para ».

« Dell'autopsia si hanno notizie? ».

« Non ancora. Pasquano voleva tenerselo in frigorifero fino a domani, invece l'ho persuaso a esaminarlo o nella tarda mattinata di oggi o nel primo pomeriggio. Ma non credo che da quel lato possano venirci novità ».

« Lo penso anch'io » concluse il commissario.

Ripigliata la lettura dei giornali, Montalbano apprese da essi assai meno di quanto già sapesse su vita, miracoli e recente morte dell'ingegnere Luparello, servirono solo a rinfrescargli la memoria. Erede di una dinastia di costruttori di Montelusa (il nonno aveva progettato la vecchia stazione, il padre il palazzo di giustizia), il giovane Silvio, dopo aver conseguito una brillantissima laurea al Politecnico di Milano, era tornato al paese per continuare e potenziare l'attività della famiglia. Cattolico praticante, aveva in politica seguito le idee del nonno che era stato acceso sturziano (sulle idee del padre, che era stato squadrista e marcia su Roma, si stendeva doveroso silenzio) e si era fatto le ossa alla Fuci, l'organizzazione che raggruppava i giovani cattolici universitari, creandosi una solida rete di amicizie. Da allora, in ogni manifestazione, celebrazione o comizio che fosse, Silvio Luparello compariva a fianco dei maggiorenti del partito, ma sempre un passo indietro, con un sorriso a mezza bocca, a significare che lui stava là per scelta e non per collocazione gerarchica. Officiato più volte a candidarsi alle elezioni politiche o amministrative che fossero, si era tutte le volte sottratto con nobilissime motivazioni, puntualmente portate a pubblica conoscenza, nelle quali si richiamava a quell'umiltà, a quel servire in ombra e in silenzio che erano qualità proprie del cattolico. E in ombra e in silenzio per quasi vent'anni aveva servito, finché un giorno, forte di tutto ciò che nell'ombra aveva visto con occhi acutissimi, si era fatto a sua volta dei servi, primo fra tutti l'onorevole Cusumano. Quindi la livrea l'aveva fatta mettere al senatore Portolano e al deputato Tricomi (ma i giornali li chiamavano « fraterni amici », « devoti seguaci »). In breve tutto il partito, a Montelusa e provincia, era passato nelle sue mani, così come l'ottanta per cento di tutti gli appalti pubblici e privati. Nemmeno il terremoto scatenato da alcuni giudici milanesi, che aveva sconvolto la classe politica al potere da cinquant'anni, l'aveva sfiorato: anzi, essendo sempre stato in secondo piano, ora poteva uscire allo scoperto, mettersi in luce, tuonare contro la corruzione dei suoi compagni di partito. Nel giro di un anno o poco meno era diventato, come alfiere del rinnovamento, e a furor d'iscritti, segretario provinciale: purtroppo, tra la trionfale nomina e la morte erano passati solo tre giorni. E un giornale si rammaricava che a un personaggio di così alta e specchiata statura la sorte maligna non avesse concesso il tempo di far ritornare il partito agli antichi splendori. Nel commemorarlo, tutti e due i giornali ne ricordavano concordi la grande generosità e gentilezza d'animo, la disponibilità a porgere la mano, in ogni dolorosa occasione, ad amici e nemici senza distinzione di parte. Con un brivido, Montalbano si ricordò di un filmato che aveva visto, l'anno prima, trasmesso da una TV locale. L'ingegnere inaugurava un piccolo orfanotrofio a

Belfi, il paese in cui suo nonno era nato, e al nonno stesso intestato: una ventina di picciliddri, tutti vestiti allo stesso modo, cantavano una canzoncina di ringraziamento all'ingegnere che li ascoltava commosso. Le parole di quella canzoncina indelebilmente si erano incise nella memoria del commissario: « quant'è buono, quant'è bello / l'ingegnere Luparello ».

I giornali, oltre a sorvolare sulle circostanze della morte, tacevano magari le voci che da anni incontrollate giravano su affari assai meno pubblici che coinvolgevano l'ingegnere. Si parlava di gare d'appalto truccate, di tangenti miliardarie, di pressioni spinte fino al ricatto. E sempre, in questi casi, spuntava il nome dell'avvocato Rizzo, prima portaborse, poi uomo di fiducia, poi ancora alter ego di Luparello. Ma si trattava sempre di voci, cose d'aria e di vento. Si diceva magari che Rizzo fosse il ponte tra l'ingegnere e la mafia e proprio su questo argomento il commissario aveva avuto modo di vedere di straforo un rapporto riservato che parlava di traffico di valuta e riciclaggio di denaro sporco. Sospetti, certo, e niente di più, perché quei sospetti mai avevano avuto modo di farsi concreti: ogni richiesta di autorizzazione alle indagini si era persa nei meandri di quello stesso palazzo di giustizia che il padre dell'ingegnere aveva progettato e costruito.

All'ora di pranzo telefonò alla Squadra mobile di Montelusa, domandò di parlare con l'ispettrice Ferrara. Era la figlia di un suo compagno di scuola che si era maritato picciotto, una ragazza gradevole e spiritosa che, va a saper perché, ogni tanto con lui ci provava.

« Anna? Ho bisogno di te ».

« Ma non mi dire! ».

« Hai qualche ora libera nel pomeriggio? ».

« Me la procuro, commissario. Sempre a tua disposizione, di giorno e di notte. Ai tuoi ordini o, se vuoi, ai tuoi voleri ».

« Allora passo a prenderti a Montelusa, a casa tua, verso le tre ».

« Mi riempi di gioia ».

« Ah, senti, Anna: vestiti da femmina ».

« Tacchi altissimi, spacco sulla coscia? ».

« Volevo semplicemente dire di non presentarti in divisa ».

Al secondo colpo di clacson Anna uscì dal portone puntualissima, gonna e camicetta. Non fece domande, si limitò a baciare Montalbano sulla guancia. Quando la macchina imboccò il primo dei tre viottoli che dalla provinciale portavano alla mànnara, solo allora parlò.

« Se vuoi scoparmi, portami a casa tua, qui non mi piace ».

Nella mànnara c'erano solo due o tre automobili, ma le persone che le occupavano chiaramente non appartenevano al giro notturno di Gegè Gullotta, erano studenti e studentesse, borghesi coppie che non trovavano altro loco. Montalbano percorse il viottolo sino alla fine, frenò che già le ruote anteriori affondavano nella rena. Il grosso cespuglio allato al quale era stata ritrovata la BMW dell'ingegnere restava sulla sinistra, irraggiungibile per quella via.

« È quello il posto dove l'hanno trovato? » spiò Anna.

« Sì ».

« Che stai cercando? ».

« Non lo so manco io. Scendiamo ».

Si avviarono verso la battigia, Montalbano la prese per la vita, la strinse e lei appoggiò la testa alla spalla di lui, con un sorriso. Ora capiva perché il commissario l'aveva invitata, era tutto un teatro, in due erano solo una coppia d'innamorati o di amanti che nella mànnara trovavano modo d'isolarsi. Anonimi, non avrebbero destato curiosità.

« Che figlio di buona madre! » pensò. « Se ne fotte di quello che io provo per lui ».

A un certo momento Montalbano si fermò, spalle al mare. La macchia era davanti al loro, distava in linea d'aria un centinaio di metri. Non c'era possibilità di dubbio: la BMW era venuta non dai viottoli ma dal lato della spiaggia e si era fermata, dopo aver girato verso la macchia, con il muso rivolto alla vecchia fabbrica, vale a dire nella posizione esattamente inversa a quella che tutte le automobili che provenivano dalla provinciale dovevano di necessità assumere, non essendoci spazio alcuno di manovra. Chi voleva tornare sulla provinciale, non aveva altra possibilità che rifare i viottoli a marcia indietro. Camminò per un altro tratto, sempre tenendo abbracciata Anna, a testa bassa: non trovò traccia di pneumatici, il mare aveva cancellato tutto.

« E ora che facciamo? ».

« Prima telefono a Fazio e poi ti riaccompagno a casa ».

« Commissario, mi permetti di dirti una cosa in tutta sincerità? ».

« Certo ».

« Sei uno stronzo ».

Quattro

« Commissario? Sono Pasquano. Mi vuole per favore spiegare dove cavolo si è andato a cacciare? È da tre ore che la cerco, al commissariato non sapevano niente ».

« Ce l'ha con me, dottore? ».

« Con lei? Con l'universo creato! ».

« Che le hanno fatto? ».

« Mi hanno costretto a dare la precedenza a Luparello, esattamente come avveniva quando era in vita. Anche dopo morto quest'uomo deve stare avanti agli altri? Avrà un posto in prima fila magari al cimitero? ».

« Voleva dirmi qualcosa? ».

« Le anticipo quello che le manderò per iscritto. Niente di niente, la bonarma è morta per cause naturali ».

« E cioè? ».

« Gli è, parlando in termini non scientifici, scoppiato il cuore, letteralmente. Per il resto stava bene, sa? Non gli funzionava solo la pompa, ed è quella che l'ha fottuto, anche se avevano tentato egregiamente di ripararla ».

« Sul corpo c'erano altri segni? ».

« Di che? ».

« Mah, non so, ecchimosi, iniezioni ».

« Gliel'ho detto: niente. Non sono nato oggi, sa? E per di più ho chiesto e ottenuto che all'autopsia assistesse il mio collega Capuano, suo medico curante ».

« S'è guardato le spalle, eh, dottore? ».

« Che ha detto?! ».

« Una stronzata, mi scusi. Aveva altre malattie? ».

« Perché torna daccapo a dodici? Non aveva niente, solo la pressione un pochino alta. Si curava con un diuretico, pigliava una pastiglia al giovedì e alla domenica di prima mattina ».

« Quindi domenica, quand'è morto, l'aveva presa ».

« E con ciò? Che cavolo vuole significare? Che gli hanno avvelenato la pastiglia di diuretico? Crede di essere ancora ai tempi dei Borgia? O si è messo a leggere libri gialli di scarto? Se fosse stato avvelenato me ne sarei accorto, no? ».

« Aveva cenato? ».

« Non aveva cenato ».

« Può dirmi a che ora è morto? ».

« Mi ci fate uscire pazzo, con questa domanda. Vi lasciate suggestionare dalle pellicole americane dove appena il poliziotto domanda a che ora è avvenuto il delitto, il medico legale risponde che l'assassino ha terminato la sua opera alle diciotto e trentadue, secondo più secondo meno, di trentasei giorni prima. L'ha visto anche lei che il cadavere non era ancora rigido, no? L'ha sentita anche lei la calura che c'era dentro quella macchina, no? ».

« E allora? ».

« E allora la bonarma se ne è andata tra le diciannove e le ventidue del giorno prima che venisse trovata ».

« Nient'altro? ».

« Nient'altro. Ah, mi scordavo: l'ingegnere è morto sì, ma è riuscito a farsela, la scopatina. C'erano residui di sperma verso le parti basse ».

« Signor questore? Sono Montalbano. Desidero dirle

37

che mi ha appena telefonato il dottor Pasquano. Ha fatto l'autopsia ».

« Montalbano, si risparmi il fiato. So tutto, verso le quattordici mi ha chiamato Jacomuzzi ch'era presente e m'ha informato. Che bello! ».

« Non capisco, mi scusi ».

« Mi pare bello che qualcuno, in questa nostra splendida provincia, si decida a morire di morte naturale, dando il buon esempio. Non trova? Altre due o tre morti come questa dell'ingegnere e ci rimettiamo in carreggiata col resto dell'Italia. Ha parlato con Lo Bianco? ».

« Non ancora ».

« Lo faccia subito. Gli dica che da parte nostra non ci sono più problemi. Possono fare il funerale quando vogliono, se il giudice ritiene di dare il nulla osta. Ma quello non aspetta altro. Senta, Montalbano, stamattina mi sono scordato di dirglielo, mia moglie si è inventata una strepitosa ricetta per i polipetti. Le andrebbe bene questo venerdì sera? ».

« Montalbano? Sono Lo Bianco. Voglio metterla al corrente. Nel primo pomeriggio ho ricevuto una telefonata del dottor Jacomuzzi ».

« Che carriera sprecata! » pensò fulmineo Montalbano. « In altri tempi Jacomuzzi sarebbe stato un meraviglioso banditore di piazza, di quelli che se ne andavano in giro col tamburo ».

« Mi ha comunicato che l'autopsia non ha rilevato nulla d'anormale » proseguì il giudice. « E quindi ho autorizzato l'inumazione. Lei non ha nulla in contrario? ».

« Nulla ».

« Posso allora ritenere il caso chiuso? ».

« Può darmi ancora due giorni di tempo? ».

Sentì, materialmente sentì, scattare i campanelli d'allarme nella testa dell'interlocutore.

« Perché, Montalbano, che c'è? ».

« Niente, giudice, proprio niente ».

« E allora, santo Iddio? Glielo confesso, commissario, non ho nessuna difficoltà, tanto io quanto il procuratore capo, quanto il prefetto e il questore, abbiamo ricevuto pressanti sollecitazioni perché la storia venga chiusa nel più breve tempo possibile. Niente d'illegale, s'intende. Doverose preghiere da parte di chi, familiari e amici di partito, questa brutta storia vuole al più presto dimenticare e far dimenticare. E con ragione, a mio avviso ».

« Capisco, giudice. Ma a me occorrono non più di due giorni ».

« Ma perché? Mi dia una ragione! ».

Trovò una risposta, una scappatoia. Non poteva certo contargli che la sua richiesta si basava sul nulla, o meglio, sulla sensazione di sentirsi, e non sapeva né come né perché, fatto fesso da qualcuno che al momento si dimostrava più sperto di lui.

« Se proprio vuole saperlo, lo faccio per l'occhio della gente. Non voglio che qualcuno metta in giro la voce che abbiamo archiviato di prescia solo perché non avevamo intenzione di andare a fondo della cosa. Sa, ci vuole niente a far nascere quest'idea ».

« Se è così, sono d'accordo. Le concedo queste quarant'otto ore. Ma non un minuto di più. Cerchi di capire la situazione ».

« Gegè? Come stai bello? Scusami se ti sveglio alle sei e mezzo di dopopranzo ».

« Minchia d'una minchia! ».

« Gegè, ti pare modo di parlare a un rappresentante

della liggi, tu che davanti alla liggi, non puoi fare altro che metterti a cacare dentro i càvusi? A proposito di minchia, è vero che te la fai con un negro di quaranta? ».

« Di quaranta cosa? ».

« Lunghezza della canna ».

« Non fare lo stronzo. Che vuoi? ».

« Voglio parlarti ».

« Quando? ».

« Stasera alla tarda. Dimmi tu l'ora ».

« Facciamo a mezzanotte ».

« Dove? ».

« Al solito posto, a Puntasecca ».

« Ti bacio sulla boccuccia bella, Gegè ».

« Dottor Montalbano? Sono il prefetto Squatrìto. Il giudice Lo Bianco mi ha testé comunicato che lei ha chiesto altre ventiquattr'ore, o quarant'otto, non ricordo bene, per chiudere il caso del povero ingegnere. Il dottor Jacomuzzi, che sempre cortesemente ha voluto tenermi informato degli sviluppi, mi ha fatto sapere che l'autopsia ha stabilito, inequivocabilmente, che Luparello è deceduto per cause naturali. Lungi da me l'idea, che dico l'idea, meno ancora, di una qualsiasi interferenza, che poi non ci sarebbe ragione alcuna, ma sono a domandarle: perché questa richiesta? ».

« La mia richiesta, signor prefetto, come ho già detto al dottor Lo Bianco e ribadisco a lei, è dettata da una volontà di trasparenza, allo scopo di troncare sul nascere ogni malevola illazione su una possibile intenzione della polizia di non acclarare i risvolti del fatto e archiviare senza i dovuti accertamenti. Tutto qui ».

Il prefetto si dichiarò soddisfatto della risposta, e del resto Montalbano aveva accurato scelto due verbi (acclarare e ribadire) e un sostantivo (trasparenza) che da sempre rientravano nel vocabolario del prefetto.

« Sono Anna, scusami se ti disturbo ».

« Perché parli così? Sei raffreddata? ».

« No, sono in ufficio, alla mobile, e non voglio che mi sentano ».

« Dimmi ».

« Jacomuzzi ha telefonato al mio capo, dicendo che tu ancora non vuoi chiudere con Luparello. Il mio capo ha detto che tu sei il solito stronzo, opinione che io condivido e che, del resto, ho avuto modo di esprimerti qualche ora fa ».

« Mi telefoni per questo? Grazie della conferma ».

« Commissario, devo dirti un'altra cosa che ho saputo appena ti ho lasciato, quando sono tornata qua ».

« Sono nella merda fino al collo, Anna. Domani ».

« Non è cosa da perderci tempo. Ti può interessare ».

« Guarda che io fino all'una, l'una e mezza di stanotte sono impegnato. Se puoi fare un salto ora, va bene ».

« Ora non ce la faccio. Vengo a casa tua alle due ».

« Stanotte?! ».

« Sì, e se non ci sei, aspetto ».

« Pronto, amore? Sono Livia. Mi dispiace telefonarti in ufficio, ma... ».

« Tu puoi telefonarmi quando e dove ti pare. Che c'e? ».

« Niente d'importante. Ho letto or ora su di un giornale della morte di un uomo politico delle tue parti. È appena un trafiletto, dice che il commissario Salvo Montalbano sta svolgendo accurati accertamenti sulle cause della morte ».

« E beh? ».

« Questa morte ti porta rogne? ».

« Non tantissime ».

« Quindi non cambia nulla? Sabato prossimo mi vieni a trovare? Non mi farai avere qualche brutta sorpresa? ».

« Quale? ».

« L'impacciata telefonatina che mi comunica che l'indagine ha avuto una svolta e che quindi io dovrò aspettare, ma non sai fino a quando e che magari è meglio rimandare di una settimana. L'hai già fatto, e più di una volta ».

« Stai tranquilla, questa volta ce la farò ».

« Dottor Montalbano? Sono padre Arcangelo Baldovino, il segretario di sua eccellenza il vescovo ».

« Piacere. Mi dica, padre ».

« Il vescovo ha appreso, e con un certo stupore, lo confessiamo, la notizia che lei ritiene opportuno un prolungamento d'indagini sulla dolorosa e sventurata scomparsa dell'ingegnere Luparello. La notizia risponde al vero? ».

Rispondeva al vero, gli confermò Montalbano e per la terza volta spiegò le ragioni di quel suo modo d'agire. Padre Baldovino parse convincersi, ma supplicò il commissario di fare presto, « al fine d'impedire ignobili speculazioni e risparmiare alla già addolorata famiglia un ulteriore strazio ».

« Commissario Montalbano? Parla l'ingegnere Luparello ».

« Oh cazzo, ma non eri morto? ».

La battutaccia stava per scappare a Montalbano che però si fermò appena in tempo.

« Sono il figlio » continuò l'altro, voce educata, civilissima, nessuna inflessione dialettale. « Mi chiamo Stefano. Ho da rivolgere alla sua cortesia una richiesta che forse le parrà insolita. Sto telefonandole per conto di mamma ».

« Se posso, s'immagini ».

« La mamma vorrebbe incontrarla ».

« Perché insolita, ingegnere? Mi ripromettevo io stesso, uno di questi giorni, di chiedere alla signora di ricevermi ».

« Il fatto è, commissario, che la mamma desidererebbe incontrarla entro domani al più tardi ».

« Dio mio, ingegnere, in questi giorni non ho un minuto, mi creda. E anche voi, penso ».

« Dieci minuti si trovano, non si preoccupi. Le va bene domani pomeriggio alle diciassette in punto? ».

« Montalbano, lo so che ti ho fatto aspettare, ma mi trovavo... ».

« ...nel cesso, nel tuo regno ».

« Dai, che vuoi? ».

« Ti volevo informare di una cosa grave. Mi ha appena telefonato il Papa, dal Vaticano, incazzatissimo con te ».

« Ma che dici?! ».

« Eh sì, è furente perché è l'unica persona al mondo a non aver ricevuto il tuo rapporto sui risultati dell'autopsia di Luparello. Si è sentito trascurato, ha l'intenzione, me l'ha fatto capire, di scomunicarti. Sei fottuto ».

« Montalbà, tu sei completamente fuori di testa ».

« Mi levi una curiosità? ».

« Certo ».

« Tu lecchi il culo alla gente per ambizione o per natura? ».

43

La sincerità della risposta dell'altro lo stupì.

« Per natura, credo ».

« Senti, avete finito d'esaminare gli abiti che indossava l'ingegnere? Avete trovato niente? ».

« Abbiamo trovato quello che era in un certo senso prevedibile. Tracce di sperma sulle mutande e sui pantaloni ».

« E nella macchina? ».

« Stiamo ancora esaminandola ».

« Grazie. Tornatene a cacare ».

« Commissario? Sto telefonando da una cabina sulla provinciale, vicino alla vecchia fabbrica. Ho fatto quello che lei mi aveva domandato ».

« Dimmi, Fazio ».

« Lei aveva perfettamente ragione. La BMW di Luparello è venuta da Montelusa e non da Vigàta ».

« Ne sei certo? ».

« Dalla parte di Vigàta la spiaggia è interrotta da blocchi di cemento, non si passa, avrebbe dovuto volare ».

« Hai scoperto il percorso che può avere fatto? ».

« Sì, ma è una pazzia ».

« Spiegati meglio. Perché? ».

« Perché mentre da Montelusa verso Vigàta ci sono decine e decine di strade e straduzze che uno può pigliare per non farsi notare, a un certo punto, per arrivare alla mànnara, la macchina dell'ingegnere ha dovuto farsi il letto asciutto del Canneto ».

« Il Canneto? Se è impraticabile! ».

« Ma io l'ho fatto, e quindi può avercela fatta qualche altro. È completamente a secco. Solo che la mia automobile s'è scassata le sospensioni. E dato che lei non ha voluto che pigliassi la macchina di servizio, mi toccherà... ».

« Te la pago io, la riparazione. C'è altro? ».

« Sì. Proprio uscendo dal letto del Canneto e avviandosi sulla rena, le ruote della BMW hanno lasciato il segno. Se avvertiamo il dottor Jacomuzzi subito, possiamo far prelevare il calco ».

« Lascialo fottere, Jacomuzzi ».

« Come comanda lei. Le occorre altro? ».

« No, Fazio, torna. Grazie ».

Cinque

La spiaggetta di Puntasecca, una striscia di sabbia compatta a ridosso di una collina di marna bianca, era a quell'ora deserta. Quando il commissario arrivò, Gegè era già ad aspettarlo, fumava una sigaretta appoggiato alla sua automobile.

« Scendi, Salvù » disse a Montalbano « godiamoci tanticchia di quest'aria buona ».

Stettero un poco in silenzio, a fumare. Poi Gegè, astutata la sigaretta, parlò.

« Salvù, io lo so quello che vuoi spiarmi. E mi sono preparato bene, puoi interrogarmi magari a saltare ».

Sorrisero al comune ricordo. Si erano conosciuti alla primina, la scuoletta privata che precedeva le elementari, e la maestra era la signorina Marianna, sorella di Gegè, più grande di lui di quindici anni. Salvo e Gegè erano scolari svogliati, imparavano le lezioni a pappagallo e pappagallescamente le ripetevano. C'erano giorni però in cui la maestra Marianna non si contentava di quelle litanie e allora principiava l'interrogazione a saltare, vale a dire senza seguire l'ordinata fila dei dati: qui erano dolori, perché bisognava avere capito, avere istituito nessi logici.

« Come sta to soru? » spiò il commissario.

« L'ho portata a Barcellona, che c'è una clinica specializzata pi l'occhi. Pare che fanno miracoli. M'hanno detto che almeno l'occhio destro ce la faranno a farglielo recuperare in parte ».

« Quando la vedi, falle i miei auguri ».

« Non mancherò. Ti stavo dicendo che mi sono preparato. Attacca con le domande ».

« Quante persone amministri alla mànnara? ».

« Ventotto fra troie e garrusi di vario genere. Più Filippo di Cosmo e Manuele Lo Pìparo che stanno lì a badare che non succedano bordelli, tu capisci che basta un minimo e mi trovo fottuto ».

« Occhi aperti, perciò ».

« Certo. Tu lo capisci il danno che me ne può venire, che ne so, da un'azzuffatina, una coltellata, un'overdose? ».

« Ti tieni sempre alle droghe leggere? ».

« Sempre. Erba, e al massimo cocaina. Domanda agli spazzini se alla matina trovano una siringa che sia una, domanda ».

« Ti credo ».

« E poi Giambalvo, il capo della buoncostume, mi sta proprio di sopra. Mi sopporta – dice – solo se non faccio nascere complicazioni, se non gli rompo i coglioni con qualcosa di grosso ».

« Lo capisco, Giambalvo: si preoccupa di non essere costretto a chiuderti la mànnara. Verrebbe a perdere quello che gli passi sottobanco. Che gli dai, un mensile, una percentuale fissa? Quanto gli dai? ».

Gegè sorrise.

« Fatti trasferire alla buoncostume e lo vieni a scc.. re. A me farebbe piacere, così aiuto un miserabile come a tia che campa di solo stipendio e se ne va in giro con le pezze al culo ».

« Grazie del complimento. Ora parlami di quella notte ».

« Dunque, potevano essere le dieci, le dieci e mezzo, quando Milly, che stava travagliando, ha visto i fari di un'automobile che, venendo dalla latata di Montelusa ranto il mare, si dirigeva, correndo, alla mànnara. Si scantò ».

« Chi è questa Milly? ».

« Si chiama Giuseppina La Volpe, è nata a Mistretta ed ha trent'anni. È una femmina sveglia ».

Tirò fuori dalla sacchetta un foglio ripiegato, lo porse a Montalbano.

« Qua ci ho scritto i nomi e i cognomi veri. E magari l'indirizzo, nel caso volessi parlarci di persona ».

« Perché dici che Milly si spaventò? ».

« Perché un'automobile da quella parte non sarebbe potuta arrivare, a meno di scendere per il Canneto, che uno capace che si rompe macchina e corna. Prima pensò a un'alzata d'ingegno di Giambalvo, una retata senza preavviso. Poi rifletté che non poteva essere la buoncostume, una retata non si fa con una macchina sola. Si scantò allora chiù assà, perché gli venne in mente che potevano essere quelli di Monterosso, che mi stanno facendo la guerra per levarmi la mànnara. E magari ci scappava una sparatoria: per essere pronta in ogni momento a fuìre, si mise a taliare fissa la macchina, e il suo cliente protestò. Fece in tempo però a vedere che l'automobile girava, si dirigeva sparata verso la macchia vicina, quasi vi entrava dentro, si fermava ».

« Non mi stai portando novità, Gegè ».

« L'uomo che aveva scopato con Milly, la scaricò e a marcia indietro si fece il viottolo verso la provinciale. Milly si mise ad aspettare un altro travaglio, camminando

48

avanti e indietro. Allo stesso posto dove prima ci stava lei, arrivò Carmen con uno affezionato che la viene a trovare ogni sabato e ogni domenica, sempre allo stesso orario e ci passa le ore. Il nome vero di Carmen è nel foglio che ti ho dato ».

« C'è magari l'indirizzo? ».

« Sì. Prima che il cliente spegnesse i fari, Carmen vide che i due nella BMW già ficcavano ».

« Ti ha detto cosa esattamente ha visto? ».

« Sì, questione di pochi secondi, ma ha visto. Magari perché era rimasta impressionata, automobili di quel tipo alla mànnara non se ne vedono. Dunque, la femmina che era al posto di guida – già, me l'ero scordato, Milly ha detto che era lei che guidava – si è rigirata, è salita sulle gambe dell'uomo che le stava allato, ha armeggiato tanticchia con le mani in basso, che non si vedevano, e poi ha pigliato ad andare su e giù. O te lo sei scordato come si fa a fottere? ».

« Non credo. Ma facciamo la prova. Quando hai finito di contare quello che mi devi, ti cali i pantaloni, appoggi le belle manine al cofano, ti metti culo a ponte. Se mi sono scordato qualche cosa, me l'arricordi. Vai avanti, non mi fare perdere tempo ».

« Quando hanno finito, la femmina ha aperto lo sportello ed è scesa, si è aggiustata la gonna, ha richiuso. L'uomo, invece di rimettere in moto e partire, se n'è rimasto al suo posto, la testa appoggiata all'indietro. La femmina è passata rasente la macchina di Carmen e proprio in quel momento è stata pigliata in pieno dai fari di un'automobile. Era una bella fìmmina, bionda, elegante. Teneva nella sinistra una borsa a sacco. Si è diretta verso la vecchia fabbrica ».

« C'è altro? ».

« Sì. Manuele, che stava facendo un giro di controllo, l'ha vista che usciva dalla mànnara e si dirigeva verso la provinciale. Siccome non gli parse, da com'era vestita, cosa di mànnara, girò per seguirla ma una macchina le diede un passaggio ».

« Fermati un attimo, Gegè. Manuele la vide che se ne stava ferma, col pollice alzato, ad aspettare che qualcuno la pigliasse a bordo? ».

« Salvù, ma come fai? Sei proprio un sbirro nato ».

« Perché? ».

« Perché è proprio su questo punto che Manuele non è persuaso. Vale a dire che lui non vide la fìmmina fare segnale, eppure una macchina si fermò. Non solo, Manuele ebbe l'impressione che l'auto, che marciava a velocità, avesse addirittura già lo sportello aperto quando frenò per farla acchianare. Manuele non ci pensò manco a pigliare il numero di targa, non c'era ragione ».

« Già. E dell'uomo della BMW, di Luparello, sai dirmi niente? ».

« Poco, aveva gli occhiali, una giacca che non si è levato mai, malgrado la scopata e la gran calura. C'è un punto però in cui il racconto di Milly non appatta con quello di Carmen. Milly dice che quando l'automobile arrivò, gli parve che l'uomo aveva una cravatta o un fazzoletto nero attorno al collo, Carmen sostiene che quando lo vide lei l'uomo aveva la camicia aperta e basta. Mi pare cosa di poco, però, l'ingegnere la cravatta può essersela levata mentre scopava, magari gli dava fastidio ».

« La cravatta sì e la giacca no? Non è cosa di poco conto, Gegè, perché dentro la macchina non è stata trovata nessuna cravatta e nessun fazzoletto ».

« Questo non significa, può essere caduta sulla rena quando la fìmmina è scesa ».

« Gli uomini di Jacomuzzi hanno rastrellato, non hanno trovato niente ».

Stettero in silenzio, pensierosi.

« Forse c'è una spiegazione per quello che ha visto Milly » disse a un tratto Gegè. « Non si trattava né di cravatta né di fazzoletto. L'uomo aveva ancora la cintura di sicurezza – capirai, si erano fatti il letto del Canneto, pieno di pietre com'è – e se l'è sganciata quando la fìmmina gli è acchianata sopra le gambe, la cintura sì che gli avrebbe dato fastidio grosso ».

« Può darsi ».

« Salvù, ti ho detto tutto quello che sono riuscito a sapere su questa facenda. E te lo sto dicendo nel mio stesso interesse. Perché a me non mi ha fatto comodo che un pezzo grosso come Luparello se ne venisse a crepare alla mànnara. Ora gli occhi di tutti sono appuntati lì, e tu prima la finisci con l'indagine, meglio è. Dopo due giorni la gente se ne scorda e tutti torniamo a travagliare tranquilli. Me ne posso andare? A quest'ora, alla mànnara, siamo in pieno traffico ».

« Aspetta. Tu che opinione ti sei fatta? ».

« Io? Lo sbirro sei tu. Ad ogni modo, per farti piacere, ti dico che la cosa mi feti, mi puzza. Facciamo conto che la fìmmina sia una buttana d'alto borgo, forastera. Che mi vuoi venire a contare che Luparello non sa dove portarsela? ».

« Gegè, tu lo sai cos'è una perversione? ».

« A me lo vieni a spiare? Io te ne posso contare certe che tu ti metti a vomitare sulle mie scarpe. Lo so quello che vuoi dirmi, che i due se ne sono venuti alla mànnara perché il posto li avrebbe eccitati di più. E qualche volta è successo. Lo sai che una notte s'apprisintò un giudice con la scorta? ».

« Davvero? E chi era? ».

« Il giudice Cosentino, il nome te lo posso fare. La sera prima che lo mandassero a casa a pedate nel culo, arrivò alla mànnara con una macchina di scorta, pigliò un travestito e se lo fotté ».

« E la scorta? ».

« Si fece una lunga passiata a ripa di mare. Però, tornando al discorso: Cosentino sapeva d'essere segnato e s'è passato lo sfizio. Ma l'ingegnere che interesse aveva? Non era un uomo di queste cose. Le femmine gli piacevano, lo sanno tutti, ma con prudenza, senza farsi vedere. E chi è la fìmmina capace di fargli mettere in pericolo tutto quello che era e che rappresentava solo per una scopata? Non mi persuado, Salvù ».

« Prosegui ».

« Se invece facciamo conto che la fìmmina non era buttana, peggio mi sento. Meno che mai si sarebbero fatti vedere alla mànnara. E poi: la macchina era guidata dalla fìmmina, questo è sicuro. A parte il fatto che nessuno affida una macchina che vale quello che vale a una buttana, quella femmina doveva essere una da fare spavento. Prima non ha problemi a farsi la discesa del Canneto, poi, quando l'ingegnere le muore tra le cosce, si alza tranquilla, scende, s'aggiusta, chiude lo sportello e via. Ti pare normale? ».

« Non mi pare normale ».

A questo punto Gegè si mise a ridere, accese l'accendino.

« Che ti piglia? ».

« Vieni qua, garruso. Avvicina la faccia ».

Il commissario eseguì e Gegè gli illuminò gli occhi. Poi spense.

« Ho capito. I pensieri che sono venuti a te, omu di

liggi, sono precisi intifichi a quelli che sono venuti a mia, omu di delinquenza. E tu volevi solo vedere se appattavano, eh, Salvù? ».

« Sì, c'inzirtasti ».

« Difficile che mi sbaglio, cu tia. Ti saluto, và ».

« Grazie » disse Montalbano.

Il commissario partì per primo, ma dopo poco venne affiancato dall'amico che gli fece cenno di rallentare.

« Che vuoi? ».

« Non so dove ho la testa, te lo volevo dire prima. Ma lo sai che eri veramente grazioso, oggi dopopranzo, alla mànnara, mano nella mano con l'ispettrice Ferrara? ».

E accelerò, mettendo una distanza di sicurezza tra lui e il commissario, poi alzò un braccio a salutarlo.

Tornato a casa, appuntò qualche dettaglio che Gègè gli aveva fornito, ma gli calò presto sonno. Taliò l'orologio, vide che l'una era passata da poco e se ne andò a dormire. Lo svegliò l'insistente suono del campanello alla porta d'entrata, gli occhi gli corsero alla sveglia, erano le due e un quarto. Si alzò faticosamente, sul primo sonno aveva sempre riflessi lenti.

« Chi cazzo è, a quest'ora? ».

In mutande come si trovava, andò ad aprire.

« Ciao » gli disse Anna.

Se n'era completamente scordato, la ragazza gli aveva detto che sarebbe venuta a trovarlo verso quell'ora. Anna lo stava squadrando.

« Vedo che sei in tenuta giusta » disse, ed entrò.

« Dimmi quello che mi devi dire e poi fila a casa, sono stanco morto ».

Montalbano era veramente seccato per l'intrusione, andò nella camera da letto, infilò un paio di pantaloni e una camicia, tornò nella sala da pranzo. Anna non c'era, stava in cucina, aveva aperto il frigorifero e già addentava un panino al prosciutto.

« Ho una fame che non ci vedo ».

« Parla mentre mangi ».

Montalbano mise sul gas la napoletana.

« Ti fai un caffè? A quest'ora? Ma poi ce la fai a riaddormentarti? ».

« Anna, per favore ». Non riusciva a essere cortese.

« Va bene. Oggi pomeriggio, dopo che ci siamo lasciati, ho saputo da un collega, il quale a sua volta era stato informato da un confidente, che da ieri, martedì, a matina, un tale s'è firriato tutti i gioiellieri, i ricettatori e i monti di pegno clandestini e no, per dare un avvertimento: se qualcuno si presentava per vendere o impegnare un certo gioiello, lo dovevano avvertire. Si tratta di una collana, la catena di oro massiccio, il pendaglio a forma di cuore coperto di brillanti. Una cosa che trovi alla Standa a diecimila lire, solo che questa è vera ».

« E come lo devono avvertire, con una telefonata? ».

« Non scherzare. A ognuno ha detto di fare un segnale diverso, che so, mettere alla finestra un panno verde o impicciare al portone un pezzo di giornale e cose simili. Furbo, così lui vede senza essere visto ».

« D'accordo, ma a me... ».

« Lasciami finire. Da come parlava e da come si muoveva, la gente interpellata ha capito che era meglio fare quello che lui diceva. Poi abbiamo saputo che altre persone, contemporaneamente, facevano lo stesso giro delle sette chiese in tutti i paesi della provincia, Vigàta compresa. Quindi chi l'ha persa, la collana la rivuole ».

« Non ci vedo niente di male. Ma perché secondo la tua testa la cosa dovrebbe interessarmi? ».

« Perché a un ricettatore di Montelusa l'uomo ha detto che la collana era stata forse persa nella mànnara nella nottata tra domenica e lunedì. Ora la cosa t'interessa? ».

« Fino a un certo punto ».

« Lo so, può essere una coincidenza e non entrarci per niente con la morte di Luparello ».

« Comunque ti ringrazio. Ora tornatene a casa che è tardi ».

Il caffè era pronto, Montalbano se ne versò una tazza e naturalmente Anna s'approfittò dell'occasione.

« E a me niente? ».

Con santa pacienza, il commissario riempì un'altra tazza e gliela porse. Anna gli piaceva, ma possibile che non capisse che lui era preso da un'altra donna?

« No » disse a un tratto Anna smettendo di bere.

« No cosa? ».

« Non voglio tornare a casa. Ti dispiace proprio tanto se stanotte rimango qua con te? ».

« Sì, mi dispiace ».

« Ma perché?! ».

« Sono troppo amico di tuo padre, mi parrebbe di fargli torto ».

« Che stronzata! ».

« Sarà una stronzata, ma è così. E poi ti stai scordando che io sono innamorato, e sul serio, di un'altra donna ».

« Che non c'è ».

« Non c'è ma è come se ci fosse. Non essere stupida e non dire cose stupide. Sei stata sfortunata, Anna, hai a che fare con un uomo onesto. Mi dispiace. Scusami ».

Non riusciva a pigliare sonno. Anna aveva avuto ragione d'avvertirlo, il caffè l'avrebbe tenuto sveglio. Ma c'era altro che lo faceva innervosire: se quella collana era stata persa alla mànnara, sicuramente magari Gegè ne era stato messo al corrente. Ma Gegè si era guardato dal parlargliene, e sicuramente non perché si trattava di un fatto insignificante.

Sei

Alle cinque e mezzo del mattino, dopo aver trascorso la nottata continuamente alzandosi e rimettendosi a letto, Montalbano decise un piano per Gegè, facendogli indirettamente pagare il silenzio sulla collana perduta e lo sfottò che gli aveva fatto per la visita alla mànnara. Fece una lunga doccia, bevve tre caffè di fila, si mise in macchina. Arrivato al Rabàto, il quartiere più antico di Montelusa, andato distrutto trent'anni prima per una frana e ora abitato nei ruderi riaggiustati alla meglio, nelle casupole lesionate e cadenti, da tunisini e marocchini arrivati clandestinamente, diresse per vicoli stretti e tortuosi a piazza Santa Croce: la chiesa era rimasta intatta tra le rovine. Cavò fuori dalla sacchetta il foglietto che gli aveva dato Gegè: Carmen, al secolo Fatma ben Gallud, tunisina, abitava al numero 48. Era un catojo miserabile, una stanzetta a piano terra, con una finestrella aperta nel legno della porta d'ingresso per far circolare l'aria. Bussò e nessuno rispose. Bussò ancora più forte e questa volta una voce assonnata domandò:

« Chi? ».

« Polizia » sparò Montalbano. Aveva deciso di giocare pesante cogliendola nel torpore del risveglio improvviso. Oltretutto Fatma, per il suo lavoro alla mànnara, doveva aver dormito assai meno di lui. La porta venne aperta, la donna si copriva con un grande asciugamano da spiaggia che teneva con una mano all'altezza del petto.

« Che vuoi? ».

« Parlarti ».

Si fece di lato. Nel catojo c'era un letto matrimoniale disfatto a metà, un tavolo piccolo con due sedie, un fornelletto a gas; una tenda di plastica divideva il lavabo e la tazza del cesso dal resto della stanza. Tutto sparluccicava in un ordine perfetto. Ma nel catojo l'odore di lei e del profumo dozzinale che usava toglievano quasi il respiro.

« Fammi vedere il permesso di soggiorno ».

Come per un moto di paura, la donna lasciò cadere l'asciugamano, portando le mani a coprirsi gli occhi. Gambe lunghe, vita stretta, pancia piatta, seni alti e sodi, una vera femmina, come quelle che si vedevano in televisione per la pubblicità. Dopo un attimo, dall'immobile attesa di Fatma, Montalbano si rese conto che non di paura si trattava, ma del tentativo di raggiungere il più ovvio e praticato degli accomodamenti tra uomo e donna.

« Vestiti ».

C'era un filo di ferro teso da un angolo all'altro del catojo, Fatma vi si diresse, spalle larghe, schiena perfetta, natiche piccole e tonde.

« Con quel corpo » pensò Montalbano « doveva averne passate ».

S'immaginò la cauta fila, in certi uffici, dietro la porta chiusa oltre la quale Fatma si guadagnava la « tolleranza delle Autorità », come talvolta gli era capitato di leggere, una tolleranza appunto da casa di tolleranza. Fatma indossò un vestito di cotonina leggera sul corpo nudo, rimase in piedi davanti a Montalbano.

« Allora, questi documenti? ».

La donna fece segno di no con la testa. E si mise silenziosamente a piangere.

« Non ti spaventare » disse il commissario.

« Io non spavento. Io molta sfortuna ».

« E perché? ».

« Perché si tu aspettare qualche giorno, io non era più qua ».

« E dove volevi andare? ».

« C'è signore di Fela, me affezionato, a lui io piacere, domenica detto me sposare. Io credo lui ».

« Quello che ti viene a trovare ogni sabato e domenica? ».

Fatma sgranò gli occhi.

« Come tu sapere? ».

Ripigliò a piangere.

« Ma ora tutto finito ».

« Dimmi una cosa. Gegè ti lascia andare con questo signore di Fela? ».

« Signore parlato con signor Gegè, signore paga ».

« Senti, Fatma, fai conto che io non sono venuto qua. Voglio chiederti solo una cosa e se tu mi rispondi sinceramente volto le spalle e me ne vado e tu puoi rimetterti a dormire ».

« Cosa vuoi sapere? ».

« Ti hanno domandato, alla mànnara, se avevi trovato qualcosa? ».

Gli occhi della donna s'illuminarono.

« Oh sì! Venuto signor Filippo, che lui uomo signor Gegè, detto a tutti noi se troviamo collana d'oro con cuore di brillanti dare subito a lui. Se non trovata, cercare ».

« E sai se è stata ritrovata? ».

« No. Anche stanotte tutte cercare ».

« Grazie » disse Montalbano dirigendosi verso la porta. Sulla soglia si fermò, si voltò a taliare Fatma.

« Auguri ».

E così Gegè era servito di barba e capelli, quello che l'altro gli aveva accuratamente taciuto, Montalbano era riuscito a saperlo lo stesso. E da quello che Fatma gli aveva appena detto, trasse una logica conseguenza.

Arrivò al commissariato alle sett'albe, tanto che l'agente di piantone lo taliò preoccupato.

« Dottore, c'è cosa? ».

« Niente » lo rassicurò. « Mi sono solo svegliato presto ».

Aveva comprato i due giornali dell'isola, si mise a leggerli. Con ricchezza di particolari, il primo annunziava i solenni funerali di Luparello per il giorno dopo. Si sarebbero svolti in Cattedrale, il vescovo in persona avrebbe officiato. Sarebbero state attuate misure di sicurezza straordinarie, data la prevedibile affluenza di personalità venute per condolersi e per porgere l'estremo saluto. A voler tirare sul conto, due ministri, quattro sottosegretari, diciotto tra onorevoli e senatori, una caterva di deputati regionali. E quindi sarebbero stati impegnati poliziotti, carabinieri, guardie di finanza, vigili urbani, a non tener conto delle scorte personali e di altre, ancora più personali, e delle quali il giornale taceva, formate da gente che con l'ordine pubblico certamente aveva a che fare, ma dall'altra parte della barricata nella quale stava « la liggi ». Il secondo giornale ripeteva all'incirca le stesse cose, aggiungendo che il catafalco era stato allestito nell'atrio di palazzo Luparello e che una fila interminabile aspettava per porgere il suo ringraziamento per tutto quello che il morto, naturalmente mentre era ancora in vita, aveva fatto, operosamente e imparzialmente.

Intanto era arrivato il brigadiere Fazio e con lui Montalbano parlò a lungo di alcune indagini che erano in corso. Da Montelusa non arrivarono telefonate. Si fece mezzogiorno e il commissario aprì una cartella, quella che conteneva la deposizione dei munnizzari sul ritrovamento del cadevere, copiò il loro indirizzo, salutò brigadiere e agenti, disse che si sarebbe fatto vivo nel pomeriggio.

Se gli uomini di Gegè avevano parlato con le buttane per la collana, sicuramente ne avevano fatto parola con i munizzari.

Discesa Gravet ventotto, una casa a tre piani, col citofono. Rispose una voce di donna matura.

« Sono un amico di Pino ».

« Mio figlio non c'è ».

« Ma non ha finito alla Splendor? ».

« Ha finito, ma se n'è iuto da un'altra parte ».

« Può aprirmi, signora? Gli devo solo lasciare una busta. Che piano? ».

« Ultimo ».

Una dignitosa povertà, due stanze, cucina che ci si poteva stare, il cesso. Si coglieva la cubatura appena entrati. La signora, una cinquantenne modestamente vestita, lo guidò.

« Da questa parte, nella cammara di Pino ».

Una stanzetta piena di libri e riviste, un tavolinetto coperto di carte sotto la finestra.

« Pino dov'è andato? ».

« A Raccadali, sta provando un travaglio di Martoglio, quello che parla di san Giuvanni dicullatu. Ci piaci, a me figliu, fari u triatru ».

Montalbano s'accostò al tavolinetto, Pino stava evidentemente scrivendo una commedia, su un foglio di carta aveva allineato una serie di battute. Ma a un nome che lesse, il commissario sentì come una scossa.

« Signora, potrebbe favorirmi un bicchiere d'acqua? ».

Appena la donna si allontanò, piegò il foglio e se lo mise nella sacchetta.

« La busta » gli ricordò la signora tornando e porgendogli il bicchiere.

Montalbano eseguì una perfetta pantomima, che Pino, se fosse stato presente, avrebbe molto ammirato: cercò nelle tasche dei pantaloni, poi, più frettolosamente, in quelle della giacca, fece una faccia sorpresa e in fine si diede una gran botta sulla fronte.

« Che cretino! La busta me la sono scordata in ufficio! Questione di cinque minuti, signora, vado a pigliarla e torno subito ».

S'infilò in macchina, pigliò il foglio che aveva appena rubato e quello che vi lesse l'abbuiò. Rimise in moto, partì. Via Lincoln 102. Nella sua deposizione, Saro aveva magari specificato l'interno. Facendo paro e sparo, il commissario calcolò che il munnizzaro geometra doveva abitare al sesto piano. Il portone era aperto, ma l'ascensore era rotto. Si fece a piedi i sei piani, ebbe però la soddisfazione di averci inzertato sul conteggio: una targhetta tirata a lucido recitava « MONTAPERTO BALDASSARE ». Venne ad aprirgli una donna giovane e minuta, un bambino in braccio, gli occhi squieti.

« C'è Saro? ».

« È andato in farmacia ad accattare i medicinali per nostro figlio, ma torna subito ».

« Perché, è malato? ».

Senza rispondere, la donna allungò tanticchia il braccio

per farglielo vedere. Il picciliddro malato lo era, e come: il colorito giallo, le guancette scavate, i grandi occhi già adulti che lo taliavano corrucciati. Montalbano provò pena, non sopportava la sofferenza nei nicareddri senza colpa.

« Che ha? ».

« I medici non se lo sanno spiegare. Lei chi è? ».

« Mi chiamo Virduzzo, faccio il ragioniere alla Splendor ».

« Trasissi ».

La donna si era sentita rassicurata. L'appartamento era in disordine, fin troppo evidente che la moglie di Saro era necessitata a stare sempre appresso al picciliddro per abbadare alla casa.

« Che vuole da Saro? ».

« Credo di avere sbagliato, in difetto, il conteggio dell'ultima paga, vorrei vedere la sua busta ».

« Se è per questo » disse la donna « non c'è bisogno d'aspettare Saro. La busta gliela posso far vedere io. Venga ».

Montalbano la seguì, aveva pronta un'altra scusa per trattenersi fino all'arrivo del marito. In camera da letto c'era cattivo odore, come di latte rancido. La donna tentò d'aprire il cassetto più alto di un settimanile, ma non ce la fece, doveva usare una mano sola, nell'altro braccio teneva il picciliddro.

« Se mi permette, faccio io » disse Montalbano.

La donna si arrassò, il commissario aprì il cassetto, vide che era pieno di carte, conti, ricette mediche, ricevute.

« Dove stanno le buste paga? ».

Fu allora che Saro entrò nella cammara da letto, non l'avevano sentito arrivare, la porta dell'appartamento era rimasta aperta. In un attimo, alla vista di Montalbano che cercava nel cassetto, si fece persuaso che il commissario stesse perquisendo la casa alla ricerca della collana. Sbiancò, cominciò a tremare, s'appoggiò allo stipite.

« Che vuole? » articolò a fatica.

Atterrita dal visibile spavento del marito, la donna parlò prima che Montalbano riuscisse a rispondere.

« Ma è il ragionier Virduzzo! » quasi gridò.

« Virduzzo? Questo è il commissario Montalbano! ».

La donna vacillò, e Montalbano si precipitò a sorreggerla nel timore che il picciliddro finisse per terra con la madre, l'aiutò a sedersi sul letto. Poi il commissario parlò, e le parole gli uscirono dalla bocca senza che il cervello fosse intervenuto, un fenomeno che altre volte gli era capitato e che una volta un giornalista fantasioso aveva chiamato « il lampo dell'intuizione che di tanto in tanto folgora il nostro poliziotto ».

« Dove l'avete messa, la collana? ».

Saro si mosse, rigido per contrastare le gambe che aveva di ricotta, andò verso il suo comodino, aprì il cassetto, ne tirò fuori un pacchetto fatto di carta di giornale che buttò sul letto. Montalbano lo raccolse, andò in cucina, si sedette, disfece il pacchetto. Era un gioiello a un tempo grossolano e finissimo: grossolano nel disegno della concezione, finissimo per la fattura e per il taglio dei diamanti che vi erano incastonati. Intanto Saro l'aveva seguito in cucina.

« Quando l'hai trovato? ».

« Lunidia a matinu prestu, alla mànnara ».

« L'hai detto a qualcuno? ».

« Nonsi, sulu a me muglieri ».

« E qualcuno è venuto a spiarti se avevi trovato una collana così e così? ».

64

« Sissi. Filippo di Cosmo, che è omu di Gegè Gullotta ».

« E tu che gli hai detto? ».

« Che non l'avevo trovata ».

« Ti cridì? ».

« Sissi, mi pare di sì. E lui ha detto che se per caso la trovavo, dovevo dargliela senza fare lo stronzo, perché la cosa era delicata assai ».

« Ti ha promesso qualcosa? ».

« Sissi. Legnate a morte se l'avevo trovata e me la tenevo, cinquantamila lire se invece la trovavo e gliela consegnavo ».

« Che volevi farne della collana? ».

« La volevo impegnare. Avevamo deciso così io e Tana »

« Non volevate venderla? ».

« Nonsi, non era nostra, l'abbiamo pensata come se ce l'avessero prestata, non volevamo approfittare ».

« Siamo persone perbene, noi » intervenne la moglie, appena entrata, asciugandosi gli occhi.

« Che ne volevate fare dei soldi? ».

« Ci dovevano servire per curare nostro figlio. L'avremmo potuto portare lontano da qua, a Roma, a Milano, in un posto qualsiasi basta che ci sono medici che capiscono ».

Per un pezzo nessuno parlò. Poi Montalbano domandò alla donna due fogli di carta e quella li staccò da un quaderno che serviva per i conti della spesa. Uno dei due fogli il commissario l'allungò a Saro.

« Fammi un disegno, indicami il punto preciso dove hai trovato la collana. Sei geometra, no? ».

Mentre Saro eseguiva, nell'altro foglio Montalbano scrisse:

Io sottoscritto Montalbano Salvo, Commissario presso l'ufficio di Pubblica Sicurezza di Vigàta (provincia di Montelusa) dichiaro di ricevere in data odierna dalle mani del signor Montaperto Baldassare detto Saro, una collana di oro massiccio, con pendaglio a forma di cuore, pur esso d'oro massiccio ma tempestato di diamanti, da lui stesso rinvenuto nei pressi della contrada detta « la mànnara » nel corso del suo lavoro di operatore ecologico. In fede.

Firmò, ma stette a pensarci sopra prima di mettere la data in calce. Poi si decise e scrisse: « Vigàta, 9 settembre 1993 ». Intanto magari Saro aveva finito. Si scambiarono i foglietti.

« Perfetto » disse il commissario osservando il disegno dettagliato.

« Qui invece c'è la data sbagliata » osservò Saro. « Il nove era lunedì passato. Oggi ne abbiamo undici ».

« Non c'è niente di sbagliato. Tu la collana me l'hai portata in ufficio il giorno stesso in cui l'hai trovata. Ce l'avevi in tasca quando sei venuto al commissariato per dirmi che avevate trovato Luparello morto, ma me l'hai data dopo perché non volevi farti vedere dal tuo compagno di lavoro. Chiaro? ».

« Se lo dice vossia ».

« Tienila cara, questa ricevuta ».

« Che fa ora, me l'arresta? » intervenne la donna.

« Perché, che ha fatto? » spiò Montalbano alzandosi.

Sette

All'osteria san Calogero lo rispettavano, non tanto perché fosse il commissario quanto perché era un buon cliente, di quelli che sanno apprezzare. Gli fecero mangiare triglie di scoglio freschissime, fritte croccanti e lasciate un pezzo a sgocciolare sulla carta da pane. Dopo il caffè e una lunga passeggiata al molo di levante, tornò in ufficio e appena lo vide, Fazio si alzò dalla scrivania.

« Dottore, c'è uno che l'aspetta ».

« Chi è? ».

« Pino Catalano, se lo ricorda? Uno di quei due munnizzari che hanno trovato il corpo di Luparello ».

« Fallo venire subito da me ».

Capì immediatamente che il giovane era nervoso, teso.

« Assettati ».

Pino posò il sedere proprio in pizzo alla seggia.

« Posso sapere perché è venuto in casa mia a fare il teatro che ha fatto? Non ho niente da ammucciare, io ».

« L'ho fatto per non spaventare tua madre, semplice. Se le dicevo che sono un commissario, capace che a quella gli veniva un colpo ».

« Se le cose stanno così, grazie ».

« Come hai fatto a capire che ero io che ti cercavo? ».

« Ho telefonato a mia madre per sapere come si sentiva, l'avevo lasciata che aveva mali di testa, e lei mi ha detto che era venuto un uomo per darmi una busta, però se l'era scordata. Era uscito dicendo che andava a pigliarla, ma non si era fatto più vedere. Io mi sono fatto curioso e ho spiato a me matri di farmi la descrizione della persona. Quando lei vuole farsi credere un altro, dovrebbe cancellare il neo che tiene sotto l'occhio sinistro. Che vuole da me? ».

« Una domanda. È venuto qualcuno alla mànnara a spiarti se avevi per caso trovata una collana? ».

« Sissi, uno che lei conosce, Filippo di Cosmo ».

« E tu? ».

« Io gli ho detto che non l'avevo trovata, come del resto è la verità ».

« E lui? ».

« E lui mi ha detto che se la trovavo tanto meglio, mi regalava cinquanta mila lire; se imbeci l'avevo trovata e non gliela consegnavo, tanto peggio. Le stesse cose precise che ha detto a Saro. Manco Saro però l'ha trovata ».

« Sei passato da casa tua prima di venire qua? ».

« Nonsi, sono venuto direttamente ».

« Tu scrivi cose di teatro? ».

« Nonsi, però mi piace recitarle di tanto in tanto ».

« Questa, allora, che è? ».

E gli porse il foglio che aveva sottratto dal tavolinetto. Pino lo taliò per niente impressionato, sorrise.

« No, questa non è una scena di teatro, questa è... ».

Ammutolì, smarrito. Si era reso conto che se quelle non erano le battute di una commedia, avrebbe dovuto dire cos'erano in realtà, e la cosa non era facile.

« Ti vengo incontro » disse Montalbano. « Questa è la trascrizione di una telefonata che uno di voi due ha fatto all'avvocato Rizzo appena scoperto il corpo di Luparello, e prima ancora di venire da me al commissariato per denunziare il ritrovamento. È così? ».

« Sissi ».

« Chi ha telefonato? ».

« Io. Ma Saro era allato a mia e sentiva ».

« Perché l'avete fatto? ».

« Perché l'ingegnere era una persona importante, una potenza. E allora abbiamo pensato di avvertire l'avvocato. Anzi no, prima volevamo telefonare all'onorevole Cusumano ».

« Perché non l'avete fatto? ».

« Perché Cusumano, morto Luparello, è come uno che in un terremoto non solo perde la casa, ma magari i soldi che teneva sotto il mattone ».

« Spiegami meglio perché avete avvertito Rizzo ».

« Perché capace che ancora si poteva fare qualche cosa ».

« Che cosa? ».

Pino non rispose, sudava, si passava la lingua sulle labbra.

« Ti vengo ancora incontro. Capace che si poteva fare ancora qualche cosa, hai detto. Qualcosa come spostare la macchina dalla mànnara, fare trovare il morto da qualche altra parte? Questo pensavate che Rizzo vi avrebbe domandato di fare? ».

« Sissi ».

« E sareste stati disposti a farlo? ».

« Certo! Abbiamo telefonato apposta! ».

« Cosa speravate in cambio? ».

« Che quello magari ci cangiava di travaglio, ci faceva vincere un concorso per geometri, ci trovava un posto giusto, ci levava da questo mestiere di munnizzari fitusi.

Commissario, lei u sapi megliu di mia, se uno non trova ventu a favuri, nun naviga ».

« Spiegami la cosa più importante: perché hai trascritto quel dialogo? Te ne volevi servire per ricattarlo? ».

« E come?. Per le parole? Le parole cose d'aria, sono ».

« Allora a che scopo? ».

« Se mi vuole credere mi crede, masannò pacienza. Io quella telefonata l'ho scritta perché me la volevo studiare, non mi suonava, parlandone da omu di teatro ».

« Non ti capisco ».

« Facciamo conto che quello che c'è scritto qua deve essere recitato, d'accordo? Allora io, personaggio Pino, telefono di prima matina al personaggio Rizzo per dirgli che ho trovato morta la persona di cui lui è segretario, amico devoto, compagno di politica. Più di un fratello. E il personaggio Rizzo se ne rimane fresco come un quarto di pollo, non si agita, non domanda dove l'abbiamo trovato, com'è morto, se l'hanno sparato, se è stato un incidente di macchina. Niente di niente, domanda solo perché siamo andati a contarglielo proprio a lui, il fatto. Le pare una cosa che suona giusta? ».

« No. Continua ».

« Non si fa meraviglia, ecco. Anzi, tenta di mettere largo tra il morto e lui, come se si trattasse di una canuscenza di passaggio. E subito ci dice di andare a fare il dovere nostro, cioè di avvertire la polizia. E riattacca. No, commissario, è tutta sbagliata come commedia, il pubblico si metterebbe a ridere, non funziona ».

Montalbano congedò Pino, trattenendo il foglio. Quando il munnizzaro andò via, se lo rilesse.

Funzionava, altro che. Funzionava a meraviglia se nell'ipotetica commedia che poi tanto ipotetica non era, Rizzo, prima di ricevere la telefonata, sapeva già dove e come Luparello era morto e aveva prescia che il cadavere venisse scoperto al più presto.

Jacomuzzi taliò Montalbano sbalordito, il commissario gli stava davanti tutto acchittato, completo blu scuro, camicia bianca, cravatta bordò, scarpe nere sparluccicanti.

« Gesù! Ti vai a maritare? ».

« Avete finito con la macchina di Luparello? Che avete trovato? ».

« Dentro, niente di rilevante. Ma... ».

« ...aveva le sospensioni scassate ».

« Come fai a saperlo? ».

« Me l'ha detto il mio uccello. Senti, Jacomuzzi ».

Cavò dalla sacchetta la collana, gliela gettò sul tavolo. Jacomuzzi la pigliò, la taliò attentamente, ebbe un gesto di meraviglia.

« Ma questa è vera! Vale decine e decine di milioni! L'avevano rubata? ».

« No, l'ha trovata per terra uno alla mànnara e me l'ha portata ».

« Alla mànnara? E qual è la buttana che può permettersi un gioiello simile? Vuoi scherzare? ».

« Dovresti esaminarlo, fotografarlo, insomma farci i lavoretti tuoi. Dammi i risultati prima che puoi ».

Squillò il telefono, Jacomuzzi rispose e quindi passò la cornetta al collega.

« Chi è? ».

« Sono Fazio, dottore, torni subito in paese, sta succedendo un bordello ».

« Dimmi ».

« Il maestro Contino s'è messo a sparare alle persone ».

« Che significa sparare? ».

« Sparare, sparare. Ha tirato due colpi dalla terrazza di

71

casa sua alle persone che erano assittate nel bar di sotto, facendo voci che non si sono capite. Un terzo l'ha sparato a me mentre stavo entrando nel portone di casa sua per vedere che stava succedendo ».

« Ha ammazzato nessuno? ».

« Nessuno. Ha pigliato di striscio a un braccio un tale De Francesco ».

« Va bene, arrivo subito ».

Mentre faceva a rotta di collo i dieci chilometri che lo separavano da Vigàta, Montalbano pensò al maestro Contino, non solo lo conosceva, ma fra loro c'era un segreto. Sei mesi avanti il commissario stava facendo la passeggiata che, due o tre volte la settimana, era solito concedersi lungo il molo di levante, sino al faro. Prima però passava dalla putìa di Anselmo Greco, una stamberga che stonava sul corso fra negozi d'abbigliamento e bar lucenti di specchi. Greco, fra altre cose desuete come pupi di terracotta o arrugginiti pesi per bilance ottocentesche, vendeva càlia e simenza, ceci atturrati e semi di zucca salati. Se ne faceva riempire un cartoccio e si avviava. Quel giorno era arrivato alla punta, proprio sotto il faro, e se ne stava tornando indietro, quando vide sotto di lui, seduto su di un masso di cemento frangiflutti, incurante degli spruzzi di mare forte che l'assuppavano, un uomo di una certa età che se ne stava immobile a testa bassa. Montalbano talìò meglio, per vedere se per caso quell'uomo tenesse una lenza fra le mani, ma non stava pescando, non faceva niente. A un tratto si levò in piedi, si fece un rapido segno di croce, si bilanciò sulle punte.

« Fermo! » gridò Montalbano.

L'uomo rimase imparpagliato, pensava di essere solo. Con due balzi Montalbano lo raggiunse, l'afferrò per i risvolti della giacca, lo sollevò di peso, lo portò al sicuro.

« Ma che voleva fare? Ammazzarsi? ».

« Sì ».

« Ma perché? ».

« Perché mia moglie mi mette le corna ».

Tutto poteva aspettarsi Montalbano meno quella motivazione, l'uomo aveva sicuramente passato l'ottantina.

« Sua moglie che età ha? ».

« Facciamo ottanta. Io ne ho ottantadue ».

Un dialogo assurdo in una situazione assurda, e il commissario non se la sentì di continuarlo, prese l'uomo sottobraccio, lo forzò a incamminarsi verso il paese. A questo punto, tanto per rendere il tutto più folle, l'uomo si presentò.

« Permette? Sono Giosuè Contino, facevo il maestro elementare. E lei chi è? Naturalmente se vuole dirmelo ».

« Mi chiamo Salvo Montalbano, sono il commissario di Pubblica Sicurezza di Vigàta ».

« Ah, sì? Capita a proposito: glielo dica lei a quella gran buttana di mia moglie che non deve mettermi le corna con Agatino De Francesco perché altrimenti io un giorno o l'altro faccio uno sproposito ».

« Chi è questo De Francesco? ».

« Una volta faceva il postino. È più giovane di me, ha settantasei anni e ha una pensione una volta e mezzo la mia ».

« Lei è certo di quello che dice o ha solo dei sospetti? ».

« Certezze. Vangelo. Ogni dopopranzo che Dio manda in terra, acqua o sole, questo De Francesco viene a pigliarsi un caffè al bar che c'è proprio sotto casa mia ».

« E beh? ».

« Lei quanto ci mette a bersi un caffè? ».

73

Per un attimo, Montalbano si lasciò prendere dalla pacata pazzia del vecchio maestro.

« Dipende. Se sono in piedi... ».

« Che c'entra in piedi? Seduto! ».

« Beh, a secondo se ho un appuntamento e devo aspettare oppure se voglio solo passare tempo ».

« No, carissimo, quello s'assetta lì solo per taliare a mia moglie che lo talìa, e non perdono occasione per farlo ».

Erano intanto arrivati in paese.

« Maestro, dove abita? ».

« In fondo al corso, su piazza Dante ».

« Pigliamo la strada di dietro, è meglio ». Montalbano non voleva che il vecchio inzuppato e tremante di freddo accendesse curiosità e domande tra i vigatesi.

« Lei sale con me? Gradisce un caffè? » aveva spiato il maestro mentre estraeva le chiavi del portone dalla sacchetta.

« No, grazie. Si cambi d'abito, maestro, e s'asciughi ».

La sera stessa aveva convocato De Francesco, l'ex postino, un vecchietto minuscolo, antipatico, che ai consigli del commissario aveva reagito duramente, con voce stridula.

« Io il caffè me lo vado a pigliare dove mi pare e piace! Che è, proibito andare nel bar sotto casa di questo arteriosclerotico di Contino? Mi meraviglio di lei, che dovrebbe rappresentare la legge e invece mi viene a tenere questi discorsi! ».

« È tutto finito » gli disse il vigile urbano che teneva lontano i curiosi dal portone di piazza Dante. Davanti all'ingresso dell'appartamento c'era il brigadiere Fazio che allargò sconsolato le braccia. Le stanze erano in perfetto

74

ordine, specchiavano. Il maestro Contino giaceva su una poltrona, una piccola macchia di sangue all'altezza del cuore. Il revolver stava per terra, allato alla poltrona, una vecchissima Smith and Wesson a cinque colpi che doveva perlomeno risalire ai tempi di Buffalo Bill e che sfortunatamente aveva continuato a funzionare. La moglie invece era distesa sul letto, anche lei con del sangue all'altezza del cuore, le mani serrate attorno a un rosario. Doveva avere pregato, prima di consentire che il marito l'ammazzasse. E ancora una volta Montalbano pensò al questore, che questa volta aveva ragione: qui, la morte, aveva trovato la sua dignità.

Nervoso, scorbutico, diede le disposizioni al brigadiere e lo lasciò ad aspettare il giudice. Sentiva, oltre a un'improvvisa malinconia, un sottile rimorso: e sé fosse intervenuto con maggiore saggezza sul maestro? Se avesse avvertito a tempo debito gli amici di Contino, il suo medico?

Passeggiò a lungo sulla banchina e sul preferito molo di levante, poi, sentendosi un poco rasserenato, tornò in ufficio. Trovò Fazio fuori dalla grazia di Dio.

« Che c'è, che è successo? Il giudice non è ancora arrivato? ».

« No, è venuto, hanno già portato via i corpi ».

« E allora che ti piglia? ».

« Mi piglia che mentre mezzo paese stava a vedere il maestro Contino che sparava, alcuni cornuti ne hanno approfittato e hanno puliziato due appartamenti, da cima a fondo. Ci ho già mandato quattro dei nostri. Aspettavo lei per andarci magari io ».

« Va bene, vai. Qua rimango io ».

Decise che era venuto il momento di mettere il carico da undici, il trainello che aveva in testa doveva asolutamente funzionare.

« Jacomuzzi? ».

« Eh, cazzo! Che è tutta questa premura? Ancora non mi hanno detto niente della tua collana. È troppo presto ».

« Lo so benissimo che ancora non puoi essere in grado di dirmi niente, me ne rendo benissimo conto ».

« E allora che vuoi? ».

« Raccomandarti la massima discrezione. La storia della collana non è così semplice come appare, può portare a sviluppi imprevedibili ».

« Ma tu mi stai offendendo! Se mi dici che non devo parlare di una cosa, non ne parlo manco se cala Dio! ».

« Ingegner Luparello? Sono veramente mortificato di non essere venuto oggi. Ma mi creda, mi sono trovato assolutamente impossibilitato. La prego di porgere le mie scuse a sua madre ».

« Aspetti un attimo, commissario ».

Pazientemente Montalbano attese.

« Commissario? La mamma dice se a lei va bene domani alla stessa ora ».

Andava bene, e confermò.

Otto

Se ne tornò a casa stanco, con l'intenzione di andarsene subito a dormire, ma quasi meccanicamente, era una specie di tic, accese la televisione. Il giornalista di « Televigàta », finito di parlare del fatto del giorno, una sparatoria tra piccoli mafiosi avvenuta alla periferia di Miletta poche ore prima, annunziò che a Montelusa si era riunita la segreteria provinciale del partito al quale apparteneva (o meglio, era appartenuto) l'ingegner Luparello. Riunione straordinaria e che in tempi meno procellosi degli attuali, per doveroso rispetto al defunto, si sarebbe dovuta convocare almeno dopo il trigesimo della scomparsa, ma ora come ora le turbolenze della situazione politica imponevano scelte lucide e rapide. Sicché: segretario provinciale era stato eletto, all'unanimità, il dottor Angelo Cardamone, primario osteologo all'ospedale di Montelusa, uomo che aveva sempre combattuto Luparello dall'interno del partito, ma lealmente, coraggiosamente, a viso aperto. Questo contrasto d'idee — continuava il cronista — si poteva semplificare in questi termini: l'ingegnere era per il mantenimento del quadripartito con l'immissione però di forze vergini e non logorate dalla politica (leggi: non ancora raggiunte da avvisi di garanzia), mentre l'osteologo inclinava per un dialogo con la sinistra, sia pure accorto e cauteloso. Al neo eletto erano pervenuti telegrammi e telefonate d'augurio, anche dall'opposizione. Cardamone, intervistato, appariva commosso ma deciso, dichiarò che ci avrebbe messo tutto l'impegno possibile per non sfigurare davanti alla sacra memoria del suo predecessore, concluse affermando che al partito rinnovato donava « il suo operoso lavoro e la sua scienza ».

« E meno male che la dà al partito » non poté esimersi dal commentare Montalbano, dato che la scienza di Cardamone, chirurgicamente parlando, aveva prodotto in provincia più sciancati di quanto generalmente ne lasci dietro di sé un violento terremoto.

Le parole che il giornalista subito dopo aggiunse fecero attisare le orecchie al commissario. Per far sì che il dottor Cardamone linearmente potesse seguire la propria strada senza rinnegare quei princìpi e quegli uomini che rappresentavano il meglio dell'attività politica dell'ingegnere, i membri della segreteria avevano pregato l'avvocato Pietro Rizzo, erede spirituale di Luparello, d'affiancare il neo segretario. Dopo qualche comprensibile resistenza per i gravosi compiti che l'inatteso incarico comportava, Rizzo si era lasciato convincere ad accettare. Nell'intervista che « Televigàta » gli dedicava, l'avvocato dichiarava, pure lui commosso, di aver dovuto sobbarcarsi al grave pondo per restare fedele alla memoria del suo maestro e amico, la cui parola d'ordine era sempre stata una ed una sola: servire. Montalbano ebbe un moto di sorpresa: ma come, il nuovo eletto si agglittiva la presenza, ufficiale, di chi era stato, del suo principale avversario, il più fedele collaboratore? Durò poco, la sorpresa, ché il commissario, minimamente ragionandoci, quella sorpresa definì ingenua: da sempre quel partito si era distinto per l'innata vocazione al compromesso, alla via di mezzo. Era possibile che Cardamone ancora non avesse le spalle abbastanze larghe da poter fare da solo e sentisse quindi la necessità di un puntello.

Cangiò canale. Su « Retelibera », la voce dell'opposizione di sinistra, c'era Nicolò Zito, l'opinionista più seguito, che spiegava come qualmente, zara zabara per dirla in dialetto o *mutatis mutandis* per dirla in latino, le cose nell'isola, e nella provincia di Montelusa in particolare, non si cataminavano mai, magari se il barometro segnava tempesta. Citò, ed ebbe gioco facile, la frase saliniana del cangiar tutto per non cangiare niente e concluse che tanto Luparello quanto Cardamone erano le due facce d'una stessa medaglia e che la lega di quella medaglia non era altri che l'avvocato Rizzo.

Montalbano corse al telefono, fece il numero di « Retelibera », spiò di Zito: tra lui e il giornalista c'era una certa simpatia, una quasi amicizia.

« Che vuoi, commissario? ».

« Vederti ».

« Amico caro, domani mattina parto per Palermo, starò via almeno una settimana. Ci stai se vengo a trovarti fra mezz'ora? Preparami qualcosa da mangiare, ho fame ».

Un piatto di pasta ad aglio e oglio si poteva fare senza problema. Aprì il frigorifero, Adelina gli aveva preparato un piatto di gamberetti bolliti, abbondante, bastava per quattro. Adelina era la madre di due pregiudicati, il minore dei due fratelli l'aveva arrestato lo stesso Montalbano, tre anni avanti, e ancora se ne stava in carcere.

A luglio passato, quando era venuta a Vigàta a trascorrere due settimane con lui, Livia, sentendo quella storia, si era terrorizzata.

« Ma sei matto? Quella un giorno o l'altro decide di vendicarsi e ti avvelena la minestrina! ».

« Ma di cosa deve vendicarsi? ».

« Gli hai arrestato il figlio! ».

« E che è colpa mia? Adelina lo sa benissimo che non è colpa mia ma di suo figlio che è stato così fesso da farsi pigliare. Io ho agito lealmente per arrestarlo, non ho fatto ricorso né a trainelli né a saltafossi. È stato tutto regolare ».

« Non me ne frega niente del vostro contorto modo di ragionare. La devi mandare via ».

« Ma se la mando via, chi mi tiene la casa, mi lava, mi stira, mi prepara da mangiare? ».

« Ce ne sarà un'altra! ».

« E qui ti sbagli: buona come Adelina non c'è nessuno ».

Stava per mettere l'acqua sul fuoco, quando squillò il telefono.

« Vorrei sprofondare sottoterra per essere stato costretto a svegliarla a quest'ora » fu l'esordio.

« Non dormivo. Chi parla? ».

« Pietro Rizzo, sono. L'avvocato ».

« Ah, avvocato. Le mie congratulazioni ».

« E perché? Se è per l'onore che il mio partito testé m'ha fatto, dovrebbe piuttosto farmi le condoglianze, ho accettato, mi creda, solo per la fedeltà che sempre mi legherà agli ideali del povero ingegnere. Ma torno al motivo della telefonata: ho bisogno di vederla, commissario ».

« Ora?! ».

« Ora no, certo, ma creda all'improcrastinabilità della questione ».

80

« Potremmo fare domattina, ma domattina non ci sono i funerali? Lei sarà impegnatissimo, suppongo ».

« Eccome! Anche tutto il pomeriggio. Sa, qualche ospite eccellente si tratterrà, sicuramente ».

« Allora quando? ».

« Guardi, a ripensarci bene, potremmo fare lo stesso domani mattina, ma presto. Lei a che ora di solito si reca in ufficio? ».

« Verso le otto ».

« Alle otto per me andrebbe benissimo. Tanto si tratta di cosa di pochi minuti ».

« Senta, avvocato, proprio perché lei domattina avrà poco tempo a disposizione, può anticiparmi di che si tratta? ».

« Per telefono? ».

« Un accenno ».

« Bene. Mi è giunto all'orecchio, ma non so quanto la voce risponda a verità, che le sarebbe stato consegnato un oggetto trovato a terra per caso. E io sono incaricato di recuperarlo ».

Montalbano coprì il ricevitore con una mano e letteralmente esplose in un cavallino nitrito, un poderoso sghignazzo. Aveva messo l'esca della collana nell'amo Jacomuzzi e il trainello aveva funzionato benissimo, facendo abboccare il pesce più grosso che avesse mai sperato. Ma come faceva Jacomuzzi a far sapere a tutti quello che non tutti dovevano sapere? Ricorreva al raggio laser, alla telepatia, a sciamaniche pratiche magiche? Sentì che l'avvocato stava gridando.

« Pronto? Pronto? Non la sento più! Che è caduta, la linea? ».

« No, mi scusi, m'è cascata la matita per terra e la stavo raccogliendo. A domani alle otto ».

Appena sentì squillare il campanello dell'ingresso, calò la pasta e andò ad aprire.

« Che mi hai preparato? » spiò Zito, entrando.

« Pasta all'aglio e oglio, gamberetti a oglio e limone ».

« Ottimo ».

« Vieni in cucina, dammi una mano d'aiuto. E intanto ti faccio la prima domanda: sai dire improcrastinabilità? ».

« Ma ti sei rincoglionito? Mi fai fare da Montelusa a Vigàta a scapicollo per domandarmi se so dire una parola? Comunque, che ci vuole? È facilissimo ».

Ci provò, tre o quattro volte, sempre più ostinandosi, ma non ci riuscì, ogni volta s'impappinava peggio.

« Bisogna essere abili, molto abili » disse il commissario pensando a Rizzo, e non si riferiva solo all'abilità dell'avvocato nel dire disinvoltamente degli scioglilingua.

Mangiarono parlando di mangiare, come sempre succede. Zito, dopo avere ricordato dei gamberetti da sogno che aveva gustato dieci anni prima a Fiacca, criticò il grado di cottura e deprecò che mancasse del tutto un sospetto di prezzemolo.

« Com'è che a ' Retelibera ' siete diventati tutti inglesi? » attaccò senza preavviso Montalbano mentre bevevano un bianco ch'era una billizza e che suo padre aveva trovato dalle parti di Randazzo. Una settimana avanti gliene aveva portato sei bottiglie, ma era una scusa per stare tanticchia assieme.

« In che senso, inglesi? ».

« Nel senso che vi siete guardati dallo sputtanare Luparello come in altre occasioni avete sicuramente fatto. Capirai, l'ingegnere muore d'infarto in una specie di bordello all'aperto, tra buttane, ruffiani, piglianculo, ha i pantaloni calati, è francamente osceno e voi, invece di cogliere a volo l'occasione, vi allineate e stendete un velo pietoso su com'è morto ».

« Non è nostro costume approfittare » disse Zito.

Montalbano si mise a ridere.

« Mi fai un piacere, Nicolò? Te ne vai a cacare tu e tutta Retelibera? ».

Zito si mise a ridere a sua volta.

« Va bene, le cose sono andate così. A poche ore dal ritrovamento del cadavere, l'avvocato Rizzo si è precipitato dal barone Filò di Baucina, il barone rosso, miliardario ma comunista, e l'ha pregato, a mani giunte, che Retelibera non parlasse delle circostanze della morte. Ha fatto appello al senso di cavalleria che gli antenati del barone pare abbiano, nell'antichità, posseduto. Come tu sai, il barone ha in mano l'ottanta per cento della proprietà della nostra emittente. Tutto qua ».

« Tutto qua un cazzo. E tu, Nicolò Zito, che s'è guadagnata la stima degli avversari perché dice sempre quello che deve dire, rispondi signorsì al barone e t'accucci? ».

« Di che colore sono i miei capelli? » spiò Zito in risposta.

« Sono rossi ».

« Montalbano, io sono rosso di dentro e di fuori, appartengo ai comunisti cattivi e rancorosi, una specie in via d'estinzione. Ho accettato, convinto che chi diceva di sorvolare sulle circostanze della morte per non infangare la memoria del poveraccio, gli voleva male e non bene come tentava di fare apparire ».

« Non ho capito ».

« E io te lo spiego, innocente. Se tu vuoi fare scordare

alla lesta uno scandalo, non devi fare altro che parlarne
più che puoi, alla televisione, sui giornali. Dai e ridai,
pesta e ripesta; dopo un poco la gente comincia a rom-
persi le palle: ma quanto la stanno facendo lunga! Ma
perché non la finiscono? Tempo quindici giorni, quest'effetto di saturazione fa sì che nessuno voglia più sentire
parlare di quello scandalo. Capito? ».

« Credo di sì ».

« Se invece metti tutto in silenzio, il silenzio comincia a parlare, moltiplica le voci incontrollate, non la finisce più di farle crescere. Vuoi un esempio? Sai quante
telefonate abbiamo ricevuto in redazione, proprio a motivo del nostro silenzio? Centinaia. Ma è vero che l'ingegnere femmine in macchina se ne faceva due a volta?
Ma è vero che all'ingegnere piaceva fare il sandwich, e
mentre lui scopava una buttana un negro se lo lavorava
di dietro? E l'ultima, di stasera: ma è vero che Luparello
regalava alle sue troie gioielli favolosi? Pare ne abbiano
trovato uno alla mànnara. A proposito, tu sai niente di
questa storia? ».

« Io? No, sicuramente è una minchiata » mentì tranquillamente il commissario.

« Lo vedi? Sono sicuro che tra qualche mese ci sarà
uno stronzo che verrà a domandarmi se era vero che l'ingegnere s'inchiappettava bambini di quattro anni e poi
se li mangiava farciti di castagne. Il suo sputtanamento
sarà eterno, diventerà leggendario. E adesso spero che
hai capito perché ho risposto di sì a chi mi chiedeva l'in-
sabbiamento ».

« E la posizione di Cardamone qual è? ».

« Boh. La sua elezione è stata stranissima. Vedi, alla
segreteria provinciale erano tutti uomini di Luparello,
tranne due di Cardamone tenuti lì per facciata, per far

vedere che erano democratici. Non c'era dubbio che il nuovo segretario poteva e doveva essere un seguace dell'ingegnere. Invece, colpo di scena: si alza Rizzo e propone Cardamone. Gli altri del clan allibiscono, ma non osano opporsi, se Rizzo parla così vuol dire che sotto c'è qualcosa di pericoloso che può succedere, conviene seguire l'avvocato su quella strada. E votano a favore. Viene chiamato Cardamone il quale, accettato l'incarico, propone lui stesso d'essere affiancato da Rizzo, con grande scorno dei due suoi rappresentanti in segreteria. Ma Cardamone io lo capisco: meglio imbarcarlo – avrà pensato – che lasciarlo in giro come una mina vagante ».

Poi Zito attaccò a contargli un romanzo che aveva in mente di scrivere e fecero le quattro.

Mentre controllava lo stato di salute di una pianta grassa che gli aveva regalato Livia e che teneva sul davanzale della finestra in ufficio, Montalbano vide arrivare una macchina blu ministeriale munita di telefono, autista e guardaspalle il quale ultimo scese per primo ad aprire lo sportello a un uomo di bassa statura, calvo, con un vestito dello stesso colore dell'auto.

« C'è uno qua fuori che deve parlarmi, fallo passare subito » disse al piantone.

Quando Rizzo entrò, il commissario notò che la parte alta della manica sinistra era coperta da una fascia nera larga un palmo: l'avvocato si era già parato a lutto per recarsi al rito funebre.

« Cosa devo fare per essere perdonato da lei? ».

« Per cosa? ».

« Per averla disturbata a casa sua e a notte inoltrata ».

« Ma la questione, lei mi ha detto, era impro... ».

« Improcrastinabile, certo ».

Ma quant'era bravo, l'avvocato Pietro Rizzo!

« Vengo al dunque. Una giovane coppia di persone peraltro rispettabilissime, nella tarda serata di domenica scorsa, avendo un pochino bevuto, si lascia andare a una sconsiderata mattana. La moglie convince il marito a portarla alla mànnara, è curiosa del luogo e di ciò che in quel luogo accade. Riprovevole curiosità, d'accordo, ma niente di più. La coppia arriva ai margini della mànnara, la donna scende. Ma quasi subito, infastidita dalle profferte volgari che le vengono fatte, risale in macchina, vanno via. Arrivata a casa, si accorge di aver perduto un oggetto prezioso che portava al collo ».

« Che strana combinazione » disse quasi a se stesso Montalbano.

« Prego? ».

« Riflettevo sul fatto che quasi alla stessa ora e nello stesso posto moriva l'ingegnere Luparello ».

L'avvocato Rizzo non si scompose, assunse un'aria grave.

« Ci ho fatto caso anch'io, sa? Scherzi del destino ».

« L'oggetto di cui lei mi parla è una collana d'oro massiccio con un cuore coperto da pietre preziose? ».

« È quello. Ora io vengo a domandarle di restituirlo ai legittimi proprietari, usando la stessa discrezione che usò in occasione del ritrovamento del mio povero ingegnere ».

« Mi voglia scusare » disse il commissario. « Ma io non ho nemmeno la più lontana idea su come bisogna procedere in un caso come questo. Ad ogni modo penso che tutto sarebbe stato diverso se si fosse presentata la proprietaria ».

« Ma io ho una regolare delega! ».

« Ah, sì? Me la faccia vedere ».

« Nessun problema, commissario. Lei capirà: prima di mettere in piazza i nomi dei miei clienti volevo essere ben sicuro che si trattava dello stesso oggetto che stavano cercando ».

Mise una mano in sacchetta, ne estrasse un foglio, lo porse a Montalbano. Il commissario lo lesse attentamente.

« Chi è Giacomo Cardamone che firma la delega? ».

« È il figlio del professor Cardamone, il nostro nuovo segretario provinciale ».

Montalbano decise che era il momento di ripetere il teatro.

« Ma è proprio strano! » commentò a bassissima voce e assumendo un'aria di profonda meditazione.

« Che ha detto, scusi? ».

Montalbano non gli rispose subito, lasciò l'altro a cuocersi tanticchia nel suo brodo.

« Pensavo che il destino, come dice lei, su questa storia ci sta scherzando un poco troppo ».

« In che senso, scusi? ».

« Nel senso che il figlio del nuovo segretario politico si trova alla stessa ora e allo stesso punto in cui muore il vecchio segretario. Non le pare curioso? ».

« Ora che me lo fa notare, sì. Ma escludo che tra le due vicende ci sia un minimo rapporto, nel modo più assoluto ».

« Lo escludo anch'io » disse Montalbano e proseguì: « Non capisco la firma che è accanto a quella di Giacomo Cardamone ».

« È la firma della moglie, una svedese. Una donna francamente un poco scapestrata, che non sa adeguarsi ai nostri costumi ».

« Secondo lei quanto può valere questo gioiello? ».

« Non me ne intendo, i proprietari mi hanno detto sugli ottanta milioni ».

« Allora facciamo così. Più tardi telefono al collega Jacomuzzi, attualmente ce l'ha lui, e me lo faccio rimandare indietro. Domani mattina, con un mio agente, glielo faccio avere allo studio ».

« Io non so veramente come ringraziarla... ».

Montalbano l'interruppe.

« Lei, al mio agente, consegnerà una regolare ricevuta ».

« Ma certamente! ».

« E un assegno di dieci milioni, mi sono permesso di arrotondare il valore della collana, che sarebbe la percentuale dovuta a chi ritrova preziosi o denari ».

Rizzo incassò il colpo quasi con eleganza.

« Lo trovo giustissimo. A chi devo intestarlo? ».

« A Baldassare Montaperto, uno dei due spazzini che hanno trovato il corpo dell'ingegnere ».

Accuratamente, l'avvocato prese nota del nome.

Nove

Rizzo non aveva finito di chiudere la porta che già Montalbano stava componendo il numero di casa di Nicolò Zito. Quello che gli aveva appena detto l'avvocato aveva messo in moto in lui un meccanismo mentale che si concretava esternamente in una smaniosa voglia d'agire. Gli rispose la moglie di Zito.

« Mio marito è uscito ora, sta partendo per Palermo ».

E poi, di colpo sospettosa:

« Ma stanotte non rimase con lei? ».

« Certo che è stato con me, signora, ma mi è venuto in mente un fatto importante per me solo stamattina ».

« Attenda, forse ce la faccio a fermarlo, lo chiamo col citofono ».

Dopo poco, sentì prima l'affanno poi la voce dell'amico.

« Ma che vuoi? Non ti è bastato stanotte? ».

« Ho bisogno d'una informazione ».

« Se è cosa breve ».

« Voglio sapere tutto, ma proprio tutto, magari le voci più stramme, su Giacomo Cardamone e sua moglie, che pare sia una svedese ».

« Come, pare? Uno stocco di un metro e ottanta, bionda, certe gambe e certe minne! Se vuoi sapere proprio tutto, ci vuole il tempo che io non ho. Senti, facciamo così: io parto, nel viaggio ci penso sopra e appena arrivo giuro che ti mando un fax ».

« Dove lo mandi? Al commissariato? Ma qui siamo ancora al tam tam, ai segnali di fumo ».

« Vuol dire che il fax lo mando alla mia redazione di Montelusa. Passa stamattina stessa, all'ora di pranzo ».

Doveva muoversi in qualche modo e allora uscì dal suo ufficio e andò nella stanza dei brigadieri.

« Come sta Tortorella? ».

Fazio taliò verso la scrivania vuota del collega.

« Aieri sono andato a trovarlo. Pare che hanno deciso che lunedì lo fanno nèsciri dall'ospedale ».

« Tu lo sai come si fa ad entrare nella vecchia fabbrica? ».

« Quando hanno fatto il muro di recinzione, dopo la chiusura, ci hanno messo una porta nica nica, che uno deve calarsi per trasìri, una porta di ferro ».

« Chi ce l'ha, la chiave? ».

« Non lo so, posso informarmi ».

« Non solo t'informi, ma me la procuri in mattinata ».

Tornò nel suo ufficio e telefonò a Jacomuzzi. Quello, dopo averlo fatto aspettare, si decise finalmente a rispondere.

« Cos'hai, la dissenteria? ».

« Dai, Montalbano, che vuoi? ».

« Che hai trovato sulla collana? ».

« Cosa volevi che trovassi? Niente. O meglio, impronte digitali, sì, ma così tante e confuse da essere indecifrabili. Che ne devo fare? ».

« Me la rimandi in giornata. In giornata, intesi? ».

Dalla stanza allato gli arrivò la voce alterata di Fazio.

« Ma insomma, nessuno sa a chi apparteneva questa Sicilchìm? Ci sarà un curatore fallimentare, un custode! ».

E appena vide entrare Montalbano:

« Pare che sia più facile avere le chiavi di San Pietro ».

Il commissario gli disse che usciva e che sarebbe tornato al massimo entro due ore. Al ritorno voleva trovare sul suo tavolo la chiave.

Appena lo vide sulla soglia, la moglie di Montaperto impallidì e portò una mano al cuore.

« Oh, Signuri! Chi fu? Chi successi? ».

« Niente che debba preoccuparla. Anzi, porto buone notizie, mi creda. Suo marito è in casa? ».

« Sissi, oggi smontò presto ».

La donna lo fece accomodare in cucina e andò a chiamare Saro che si era coricato in cammara da letto allato al picciliddro e tentava di fargli chiudere gli occhi magari per tanticchia.

« Sedetevi » disse il commissario « e statemi a sentire con attenzione. Dove avevate pensato di portare vostro figlio coi soldi ottenuti dal pegno della collana? ».

« In Belgio » rispose prontamente Saro « che lì ci sta me frati e ha detto che è disposto a pigliarci in casa per qualche tempo ».

« I soldi per il viaggio li avete? ».

« Sparagnando all'osso, qualche cosa abbiamo messo da parte » disse la donna, e non ammucciò una nota d'orgoglio.

« Ma bastano solo per il viaggio » precisò Saro.

« Benissimo. Allora tu, oggi stesso, vai alla stazione e ti fai il biglietto. Anzi, pigli l'autobus e vai a Raccadali, lì c'è un'agenzia? ».

« Sissi. Ma perché andare fino a Raccadali? ».

« Non voglio che qui a Vigàta sappiano quello che avete in mente di fare. Intanto la signora prepara le cose da portarsi. Non dite a nessuno, manco a persone di famiglia, dove state andando. Sono chiaro? ».

« Chiarissimo, se è per questo. Ma scusassi, commissario, che c'è di male ad andare in Belgio a curare nostro figlio? Lei mi dice cose da fare ammucciuni, come se si trattasse un fatto contro la liggi ».

« Saro, non stai facendo niente contro la liggi, è chiaro. Ma io voglio essere sicuro di tante cose, perciò tu devi avere fiducia e fare solo quello che ti dico io ».

« Va beni, forse vossia se lo scordò, che ci andiamo a fare in Belgio se i soldi che abbiamo sono bastevoli sì e no per tornare? Una gita? ».

« I soldi bastevoli li avrete. Domani a matina un mio agente vi porterà un assegno di dieci milioni ».

« Dieci milioni? E perché? » spiò Saro senza fiato.

« Ti spettano di diritto, è la percentuale per la collana che hai trovato e che mi hai consegnato. Questi soldi ve li potete spendere a faccia aperta, senza problemi. Appena ricevuto l'assegno, corri di corsa a cambiarlo e partite ».

« Di chi è l'assegno? ».

« Dell'avvocato Rizzo ».

« Ah » fece Saro, e aggiarniò.

« Non ti devi scantare, la cosa è regolare ed è in mano a mia. Però è meglio pigliare tutte le precauzioni, non vorrei che Rizzo facesse come i cornuti che ci ripensano dopo, alla scordatina. Dieci milioni sono sempre dieci milioni ».

Giallombardo gli fece sapere che il brigadiere era andato a pigliare la chiave della vecchia fabbrica, ma che sarebbero passate almeno due ore prima del suo ritorno:

il custode, che non stava bene in salute, era ospite di un figlio a Montedoro. L'agente l'informò anche che il giudice Lo Bianco aveva telefonato cercandolo, voleva essere richiamato entro le dieci.

« Ah, commissario, meno male, sto uscendo, sto andando in cattedrale per il funerale. So che verrò assalito, letteralmente assalito, da autorevoli personaggi che mi porranno tutti la stessa domanda. Lei sa qual è? ».

« Perché non è ancora chiuso il caso Luparello? ».

« Ha indovinato, commissario, e non c'è da scherzarci. Non vorrei adoperare parole grosse, non vorrei minimamente essere frainteso... ma insomma, se ha qualcosa di concreto in mano, vada avanti, altrimenti chiuda. Del resto, mi consenta, io non riesco a farmi capace: cosa vuole scoprire? L'ingegnere è morto di morte naturale. E lei s'impunta, m'è parso di capire, solo perché l'ingegnere se ne è andato a morire alla mànnara. Mi levi una curiosità: se Luparello fosse stato trovato sul bordo di una strada, lei avrebbe trovato niente da ridire? Risponda ».

« No ».

« E allora dove vuole arrivare? Il caso dev'essere chiuso entro domani. Ha capito? ».

« Non si arrabbi, giudice ».

« E mi arrabbio sì, ma con me stesso. Lei mi sta facendo usare una parola, caso, che non è proprio il caso d'usare. Entro domani, intesi? ».

« Possiamo fare fino a sabato compreso? ».

« E che siamo, al mercato a patteggiare? Va bene. Ma se tarda sia pure di un'ora io esporrò la sua personale situazione ai suoi superiori ».

Zito mantenne la parola, la segreteria di redazione di

« Retelibera » gli consegnò il fax da Palermo che Montalbano lesse mentre si dirigeva verso la mànnara.

Il signorino Giacomo è il classico esempio di figlio di papà, aderentissimo al modello, senza uno scarto di fantasia. Il padre è notoriamente un galantuomo, fatta eccezione di una pecca di cui dirò in seguito, l'opposto della bonarma Luparello. Giacomino abita con la seconda moglie, Ingrid Sjostrom, le cui qualità ti ho già a voce illustrate, al primo piano del palazzo paterno. Ti faccio l'elenco delle sue benemerenze, almeno quelle che io ricordo. Ignorante come una cucuzza, non ha mai voluto né studiare né applicarsi ad altro che non fosse la precoce analisi dello sticchio, eppure è sempre stato promosso a pieni voti per intervento del Padreterno (o del padre, più semplicemente). Non ha mai frequentato l'università, pur essendo iscritto a medicina (e meno male per la salute pubblica). A sedici anni, guidando senza patente la potente macchina del padre, travolge e uccide un bambino di otto anni. Praticamente Giacomino non paga, paga invece il padre, e assai profumatamente, alla famiglia del bambino. In età adulta costituisce una società che si occupa di servizi. La società fallisce due anni dopo, Cardamone non ci rimette una lira, il suo socio a momenti si spara e un ufficiale della guardia di Finanza che vuole vederci chiaro si trova di colpo trasferito a Bolzano. Attualmente si occupa di prodotti farmaceutici (figurati! Ha il padre che gli fa da basista!) e spende e spande in misura di gran lunga superiore ai probabili introiti.

Appassionato di macchine da corsa e di cavalli, ha fondato (a Montelusa!) un Polo-club dove non si è mai vista una partita di questo nobile sport, ma in compenso si sniffa che è una meraviglia.

Se dovessi esprimere il mio sincero giudizio sul personaggio, direi che trattasi di uno splendido esemplare di coglione, di quelli che allignano dove ci sia un padre potente e ricco. All'età di anni ventidue contrasse matrimonio (non si dice così?) con Albamarina (per gli amici, Baba) Collatino, alta borghesia commercializia di Palermo. Due anni dopo Baba presenta istanza di annullamento del vincolo alla Sacra Rota, motivandola con la manifesta impotentia generandi del coniuge. M'ero scordato: a diciotto anni, vale a dire quattro anni prima del matrimonio, Giacomino aveva messa incinta la figlia di una delle cameriere e l'increscioso incidente era stato al solito tacitato dall'Onnipotente. Quindi i casi erano due: o mentiva Baba o aveva mentito la figlia della cameriera. A parere insindacabile degli alti prelati romani, aveva mentito la cameriera (e come ti sbagli?), Giacomo non era in grado di procreare (e di questo si sarebbe dovuto ringraziare l'Altissimo). Ottenuto l'annullamento, Baba si fidanza con un cugino col quale aveva già avuto una relazione, mentre Giacomo si dirige verso i brumosi paesi del nord per dimenticare.

In Svezia gli capita di assistere a una specie di auto-cross massacrante, un percorso tra laghi, dirupi e montagne: la vincitrice è una stanga bionda, di professione meccanico e che di nome fa appunto Ingrid Sjostrom. Che dirti, mio caro, per evitare la telenovela? Colpo di fulmine e matrimonio. Ormai vivono assieme da cinque anni, ogni tanto Ingrid torna in patria e si fa le sue corsettine automobilistiche. Cornifica il marito con svedese semplicità e disinvoltura. L'altro giorno, cinque gentiluomini (si fa per dire) facevano un gioco di società al Polo-club. Fra le altre, venne posta la domanda: chi non s'è fatto Ingrid, si alzi. Rimasero tutti e cinque seduti. Risero molto, soprattutto Giacomo che era presente, ma non partecipava al gioco. Corre voce, assolutamente non controllabile, che magari l'austero professor Cardamone padre ci abbia inzuppato il pane con la nuora. E questa sarebbe la pecca di cui ti ho accennato all'inizio. Altro non mi viene a mente. Spero d'essere stato pettegolo come desideravi. Vale.

NICOLA

Arrivò alla mànnara verso le due, non si vedeva anima

criata. La porticina di ferro aveva la toppa incrostata di sale e ruggine. L'aveva previsto, apposta si era portato appresso l'olio spray che serviva a lubrificare le armi. Tornò in macchina, aspettando che l'olio facesse effetto e aprì la radio.

Il funerale – stava raccontando lo speaker della stazione locale – aveva toccato punte emotive altissime, tanto che a un certo momento la vedova si era sentita venir meno e avevano dovuto portarla fuori a braccia. I discorsi funebri li avevano tenuti, nell'ordine: il vescovo, il vice-segretario nazionale del partito, il segretario regionale, il ministro Pellicano a titolo personale, dato che gli era sempre stato amico. Una folla di almeno duemila persone aspettava sul sagrato che uscisse la bara per scoppiare in un caldo e commosso applauso.

« Caldo va bene, ma com'è che un applauso si commuove? » si chiese Montalbano. Spense la radio e andò a provare la chiave. Girava, ma il portone era come ancorato a terra. Lo spinse con una spalla e finalmente ottenne uno spiraglio attraverso il quale passò a stento. La porticina era ostruita da calcinacci, pezzi di ferro, sabbia, era evidente che il custode non si faceva vivo da anni. Si rese conto che i muri perimetrali erano due: quello di protezione con la porticina d'entrata e un vecchio muro di recinzione semidiroccato che attorniava la fabbrica quando era in funzione. Attraverso i varchi di questo secondo muro si vedevano macchinari arrugginiti, grossi tubi ora dritti ora a tortiglione, giganteschi alambicchi, impalcature di ferro con larghi squarci, intelaiature sospese in assurdi equilibri, torrette d'acciaio che svettavano con illogiche inclinazioni. E dovunque pavimentazioni sconnesse, soffitti sventrati, larghi spazi una volta coperti da travature di ferro ora a tratti spezzate, pronte a cadere di sotto dove non c'era più niente, salvo uno strato di cemento malandato, dalle cui fenditure spuntavano stocchi d'erba ingiallita. Fermo nell'intercapedine che i due muri formavano, Montalbano rimase incantato a taliare, se la fabbrica gli piaceva vista da fuori, da dentro addirittura l'estasiava, rimpianse di non avere portato una macchina fotografica. Lo distolse la percezione di un suono sommesso e continuo, una sorta di vibrazione sonora che pareva nascere proprio dall'interno della fabbrica.

« Cos'è che sta funzionando qua dentro? » si domandò insospettito.

Pensò bene di uscire, andare all'auto, aprire il cassetto del cruscotto e armarsi. La pistola non la portava quasi mai, gli dava fastidio il peso dell'arma che gli sformava pantaloni e giacche. Rientrò nella fabbrica, il suono continuava, e cautamente cominciò a dirigersi verso il lato opposto a quello da cui era entrato. Il disegno che Saro gli aveva fatto era estremamente preciso e gli serviva da guida. Il suono era come il ronzio che certe volte emettono i fili dell'alta tensione colpiti dall'umidità, solo che questo era più variato e musicale e a momenti s'interrompeva per riprendere poco dopo con altra modulazione. Procedeva teso, attento a non inciampare sulle pietre e i rottami che facevano da pavimento allo stretto corridoio fra i due muri, quando con la coda dell'occhio vide, attraverso un varco, un uomo che in parallelo a lui si muoveva dentro la fabbrica. Si tirò indietro, certo che l'altro l'avesse già visto. Non c'era tempo da perdere, sicuramente l'uomo aveva dei complici, fece un balzo in avanti, l'arma impugnata, gridando:

« Fermo! Polizia! ».

Capì, in una frazione di secondo, che l'altro quella sua

mossa stava aspettando, era infatti semipiegato in avanti, pistola in pugno. Montalbano sparò mentre si gettava a terra e prima di toccare il suolo aveva esploso altri due colpi. Invece di sentire ciò che si aspettava, uno sparo in risposta, un lamento, uno scalpiccio di passi in fuga, udì il fragoroso esplodere e poi il tintinnìo di una vetrata che andava in pezzi. Di colpo capì e venne assugliato da una risata così violenta da impedirgli di alzarsi in piedi. Aveva sparato a se stesso, all'immagine che una grande vetrata superstite, appannata e sporca, gli aveva rimandata.

« Questa non posso contarla a nessuno » si disse « mi chiederebbero le dimissioni e mi butterebbero fuori dalla polizia a calci nel culo ».

L'arma che teneva in mano gli parse subito ridicola, se l'infilò nella cintura dei pantaloni. Gli spari, la loro eco prolungata, lo schianto e il frantumarsi della vetrata avevano completamente coperto il suono che ora aveva ripreso, più variato. Allora capì. Era il vento che ogni giorno, magari d'estate, quel tratto di spiaggia batteva e che la sera invece abbaccava, quasi a non voler dare disturbo agli affari di Gegè. Il vento, infilandosi tra le intelaiature metalliche, i fili ora spezzati ora ancora ben tesi, le ciminiere a tratti sfondate come i buchi di uno zufolo, suonava una sua nenia nella fabbrica morta, e il commissario sostò, incantato, ad ascoltare.

Per arrivare al punto che Saro aveva segnato ci mise quasi mezz'ora, dovette in certi punti arrampicarsi su cumuli di detriti. Finalmente capì che era esattamente all'altezza del posto dove Saro aveva trovato la collana, al di là del muro. Cominciò a taliarsi attorno con calma. Giornali e pezzi di carta ingialliti dal sole, erbacce, bottigliette di cocacola (le lattine erano troppo leggere per oltrepassare il muro in altezza), bottiglie di vino, una carriola metallica sfondata, alcuni copertoni, pezzi di ferro, un oggetto indefinibile, una trave marcita. E allato alla trave una borsa di pelle a sacco, elegante, nuovissima, firmata. Stonava, così incongrua nello sfascio che la circondava. Montalbano l'aprì. Dentro c'erano due sassi piuttosto grossi, evidentemente erano stati messi come zavorra per far compiere alla borsa la parabola giusta dall'esterno all'interno del muro, e nient'altro. Taliò meglio la borsa. Le iniziali in metallo della proprietaria erano state strappate via, ma il cuoio ne recava ancor l'impronta, una i e una esse: Ingrid Sjostrom.

« Me la stanno servendo su un piatto d'argento » pensò Montalbano.

Dieci

L'idea di accettare il piatto gentilmente offerto, con tutto quello che dentro ci poteva essere, gli venne mentre si arricriava a mangiare una generosa porzione di peperoni arrosto che Adelina aveva lasciato in frigorifero. Cercò sull'elenco il numero di Giacomo Cardamone, l'ora era giusta per trovare la svedese in casa.

« Ghi è tu ghe palla? ».

« Sono Giovanni, c'è Ingrid? ».

« Ga ora io guarda, tu aspetta ».

Tentò di capire da quale parte del mondo quella cameriera fosse piombata a casa Cardamone, ma non ne venne a capo.

« Ciao, cazzuto, come stai? ».

La voce era bassa e roca, come si conveniva alla descrizione che gli aveva fatto Zito, le parole però non ebbero alcun effetto erotico sul commissario, anzi lo fecero squietare: fra tutti i nomi dell'universo, era andato a scegliere proprio quello appartenente a un uomo di cui Ingrid conosceva perfino le misure anatomiche.

« Ci sei ancora? Ti sei addormentato in piedi? Quanto hai scopato stanotte, porcone? ».

« Senta, signora... ».

La reazione di Ingrid fu prontissima, una constatazione senza stupore o indignazione.

« Non .sei Giovanni ».

« No ».

« Allora chi sei? ».

« Sono un commissario di Pubblica Sicurezza, mi chiamo Montalbano ».

Si aspettava una domanda allarmata e venne prontamente deluso.

« Uh, che bello! Un poliziotto! Che vuoi da me? ».

Aveva mantenuto il tu, magari se sapeva che stava parlando con una persona che non conosceva. Montalbano decise di restare al lei.

« Vorrei scambiare qualche parola con lei ».

« Oggi pomeriggio proprio non posso, ma stasera sono libera ».

« D'accordo, stasera va bene ».

« Dove? Vengo nel tuo ufficio? Dimmi dov'è ».

« Meglio di no, preferisco un posto più discreto ».

Ingrid fece una pausa.

« La tua stanza da letto? » la voce della donna si era fatta irritata; evidentemente cominciava a sospettare che all'altro capo del filo c'era un imbecille che tentava un approccio.

« Senta, signora, capisco che lei, a ragione, diffida. Facciamo così: fra un'ora sono al commissariato di Vigàta, lei può telefonarmi lì e chiedere di me. Va bene? ».

La donna non rispose subito, ci stava pensando, poi si decise.

« Ti credo, poliziotto. Dove e a che ora? ».

Si misero d'accordo sul posto, il bar di Marinella, che all'ora stabilita, le dieci di sera, era sicuramente deserto. Montalbano le raccomandò di non dire niente a nessuno, manco al marito.

La villa dei Luparello sorgeva all'entrata di Montelusa venendo dalla parte di mare, un edificio ottocentesco, massiccio, protetto da un muro di cinta alto, al centro del quale si apriva un cancello in ferro battuto, ora spalancato. Montalbano percorse il viale alberato che tagliava una parte del parco, arrivò al portone d'ingresso semichiuso, un grande fiocco nero su uno dei battenti. Si sporse a mezzo per taliare dentro: nell'atrio, piuttosto vasto, c'erano una ventina di persone, uomini e donne, facce di circostanza, parlottare a bassa voce. Non gli parse opportuno passare in mezzo alla gente, qualcuno poteva riconoscerlo e principiare a domandarsi il perché della sua presenza. Prese a camminare torno torno alla villa e finalmente trovò un'entrata posteriore, chiusa. Suonò il campanello e dovette farlo diverse volte prima che qualcuno venisse ad aprirgli.

« Ha sbagliato. Per le visite di condoglianza, dalla porta principale » disse la cameriera picciotta e sveglia, grembiule nero e crestina, che l'aveva di colpo qualificato come non appartenente alla categoria dei fornitori.

« Sono il commissario Montalbano. Vuol dire a qualcuno della famiglia che sono arrivato? ».

« L'aspettavano, signor commissario ».

Lo guidò per un lungo corridoio, gli aprì una porta, gli fece cenno di entrare. Montalbano si trovò in una grande biblioteca, i libri a migliaia erano ben tenuti, allineati in enormi scaffali. Una vasta scrivania a un angolo e in quello opposto un salotto di raffinata eleganza, un tavolinetto, due poltrone. Alle pareti solo cinque quadri e Montalbano a colpo d'occhio ne riconobbe gli autori, emozionandosi. Un contadino di Guttuso degli anni '40, un paesaggio laziale di Melli, una demolizione di Mafai, due rematori sul Tevere di Donghi, una bagnante di

Fausto Pirandello. Un gusto squisito, una scelta di rara competenza. La porta si aprì, apparve un uomo di una trentina d'anni, cravatta nera, viso molto aperto, elegante.

« Sono quello che le ha telefonato. Grazie di essere venuto, la mamma ci teneva proprio tanto a vederla. Mi scusi per tutto il disturbo che le ho arrecato » parlava senza inflessione dialettale.

« Per carità, nessun disturbo. Solo che io non vedo in che modo possa essere utile a sua madre ».

« Questo io l'ho già detto a mamma, ma lei ha insistito. E non ha voluto dirmi niente circa le ragioni per cui ha voluto che l'incomodassimo ».

Si guardò, come se li vedesse per la prima volta, i polpastrelli della mano destra, discretamente si schiarì la voce.

« Abbia comprensione, commissario ».

« Non capisco ».

« Abbia comprensione per mamma, è stata molto provata ».

Si avviò per uscire, ma si fermò di colpo.

« Ah, commissario, la voglio informare perché lei non venga a trovarsi in una posizione imbarazzante. La mamma sa com'è morto papà e dove è morto. Come abbia fatto, non riesco a capirlo. Già ne era a conoscenza due ore dopo il ritrovamento. Con permesso ».

Montalbano si sentì sollevato, se la vedova sapeva tutto, non sarebbe stato obbligato a raccontarle contorte farfanterìe per nasconderle l'indecenza della morte del marito. Tornò a godersi i quadri. A casa sua, a Vigàta, aveva solo disegni e incisioni di Carmassi, Attardi, Guida, Cordio, e Angelo Canevari: se li era permessi duramente decurtando il suo povero stipendio, oltre non poteva andare, una tela di quel livello mai sarebbe riuscito ad accattarsela.

« Le piacciono? ».

Si voltò di scatto, non aveva sentito entrare la signora, una donna non alta, ultracinquantenne, dall'aria decisa, le minute rughe che le ragnavano la faccia ancora non riuscivano a distruggere la bellezza dei lineamenti, mettevano anzi in risalto lo splendore degli occhi verdi, acutissimi.

« Si accomodi » e andò a sedersi sul divano mentre il commissario prendeva posto su una poltrona. « Quadri belli, io non ne capisco di pittura, ma mi piacciono, ce ne sono una trentina sparsi per la casa. Li ha comprati mio marito, la pittura era un suo vizio segreto, amava dire. Purtroppo non era il solo ».

« Cominciamo bene » pensò Montalbano e spiò:

« Si sente meglio, signora? ».

« Meglio rispetto a quando? ».

Il commissario s'imparpagliò, gli parse d'essere davanti a una maestra che gli stava facendo un'interrogazione difficile.

« Mah, non so, rispetto a stamattina... Ho sentito che in cattedrale ha avuto un malore ».

« Malore? Stavo bene, compatibilmente alla situazione. No, caro amico, ho fatto finta di svenire, sono brava. Il fatto è che m'era venuto un pensiero, se un terrorista, mi sono detta, facesse saltare in aria la chiesa con tutti noi dentro, almeno un buon decimo dell'ipocrisia diffusa nel mondo svanirebbe con noi. E allora mi sono fatta portare fuori ».

Montalbano non seppe che dire, impressionato dalla schiettezza della donna, aspettò che fosse lei a riprendere la parola.

104

« Quando una persona mi ha spiegato dov'era stato trovato mio marito, ho telefonato al questore e gli ho domandato chi si occupava delle indagini, e se indagini c'erano. Il questore m'ha fatto il suo nome, aggiungendo che lei è persona perbene. Sono rimasta incredula, esistono ancora persone perbene? E perciò le ho fatto telefonare ».

« Non posso che ringraziarla, signora ».

« Non siamo qui a farci complimenti. Non voglio farle perdere tempo. Lei è proprio sicuro che non si tratti di omicidio? ».

« Sicurissimo ».

« E allora quali sono le sue perplessità? ».

« Perplessità? ».

« Eh sì, mio caro, lei deve averne. Non si giustifica altrimenti la sua riluttanza a chiudere le indagini ».

« Signora, sarò franco. Si tratta solo d'impressioni, impressioni che non dovrei e non potrei permettermi, nel senso che, trattandosi di morte naturale, il mio dovere sarebbe stato altro. Se lei non ha niente di nuovo da dirmi, io stasera stessa comunico al magistrato... ».

« Ma io qualcosa di nuovo ce l'ho ».

Montalbano ammutolì.

« Non so quali siano le sue impressioni » continuò la signora « le dirò le mie. Silvio era certamente un uomo accorto e ambizioso, se era rimasto in ombra per tanti anni l'aveva fatto per un preciso disegno: venire alla luce al momento giusto e restarci. Ora lei può credere che quest'uomo, dopo tutto il tempo impiegato in pazienti manovre per arrivare dove è arrivato, una bella sera decide di andare con una donna sicuramente di malaffare in un posto equivoco dove chiunque può riconoscerlo e magari ricattarlo? ».

« Questo, signora è uno dei punti che più degli altri mi hanno lasciato perplesso ».

« Vuole esserlo di più? Io ho detto donna di malaffare e vorrei chiarire che non mi riferivo né a una prostituta né a una donna comunque da pagare. Non riesco a spiegarmi bene. Le dico una cosa: appena sposati Silvio mi confidò che in vita sua non era mai stato con una prostituta e nemmeno era mai andato in una casa di tolleranza quando erano ancora aperte. Qualcosa lo bloccava. E allora viene da chiedersi che tipo era la donna che oltretutto l'ha convinto ad avere un rapporto con lei in quel posto tremendo ».

Magari Montalbano non era mai andato con una buttana, e sperò che nuove rivelazioni su Luparello non svelassero altri punti di contatto tra lui e un uomo con il quale non avrebbe voluto spartirci il pane.

« Vede, mio marito si è bellamente concesso ai suoi vizi, ma non ha mai avuto tentazioni di annichilimento, di estasi verso il basso come diceva uno scrittore francese. I suoi amori li consumava discretamente in una casetta che si era fatta costruire, non a nome suo, proprio sul ciglio di Capo Massaria. L'ho saputo dalla solita caritatevole amica ».

Si alzò, andò allo scrittoio, armeggiò con un cassetto, tornò a sedersi con in mano una grande busta gialla, un cerchietto di metallo con due chiavi, una lente d'ingrandimento. Porse le chiavi al commissario.

« A proposito. Riguardo alle chiavi, era un maniaco. Ne aveva due copie di tutte, una la teneva in quel cassetto, l'altra la portava sempre con sé. Bene, quest'ultima serie di chiavi non è stata ritrovata ».

« Non erano nelle tasche dell'ingegnere? ».

« No. E non erano nemmeno nello studio d'ingegneria. E non sono state trovate nemmeno nell'altro ufficio, quello, come dire, politico. Sparite, volatilizzate ».

« Può averle perdute per strada. Non è detto che siano state sottratte ».

« Non è possibile. Vede, mio marito aveva sei mazzi di chiavi. Uno per questa casa, uno per la casa di campagna, uno per la casa al mare, uno per l'ufficio, uno per lo studio, uno per la casetta. Li teneva tutti nel cassetto del cruscotto della macchina. Di volta in volta prendeva il mazzo che gli serviva ».

« E nella macchina non sono state ritrovate? ».

« No. Ho dato disposizione di cambiare tutte le serrature. Fatta eccezione per la casetta di cui io ignoro ufficialmente l'esistenza. Se ne ha voglia, ci faccia un salto, vi troverà sicuramente qualche traccia rivelatrice circa i suoi amori ».

Aveva ripetuto due volte « i suoi amori » e Montalbano volle in qualche modo consolarla.

« A parte il fatto che gli amori dell'ingegnere non rientrano nella mia indagine, io ho raccolto qualche informazione e le dirò, con tutta sincerità, che ho avuto risposte generiche, valide per qualsiasi persona ».

La signora lo taliò con un sorriso appena accennato.

« Io non gliene ho mai fatto una colpa, sa? Praticamente, due anni dopo la nascita di nostro figlio, io e mio marito non siamo stati più una coppia. E così ho avuto modo d'osservarlo, quietamente, pacatamente, per trent'anni, senza che il mio sguardo venisse offuscato dal turbamento dei sensi. Lei non ha capito, mi scusi: parlando dei suoi amori, io intendevo non specificarne il sesso ».

Montalbano s'incassò nelle spalle, sprofondando di più nella poltrona. Gli parse che in testa gli fosse stata data una sprangata di ferro.

« Io invece » continuò la signora « tornando al discorso che più m'intèressa, sono convinta che si tratta di un atto criminale, mi lasci finire, non di un omicidio, di un'eliminazione fisica, ma di un crimine politico. C'è stata una violenza estrema, quella che l'ha portato alla morte ».

« Si spieghi meglio, signora ».

« Sono convinta che mio marito sia stato costretto con la forza oppure obbligato col ricatto ad andare dove poi l'hanno trovato, in quel posto infame. Avevano un piano, ma non hanno fatto in tempo a portarlo compiutamente a termine perché il cuore non gli ha retto per la tensione o, perché no, per la paura. Era molto malato, sa? Aveva subito un'operazione difficile ».

« Ma come avrebbero fatto a costringerlo? ».

« Non lo so. Forse potrebbe aiutarmi lei. Probabilmente l'hanno attirato in un agguato. Non ha potuto fare resistenza. In quel posto infame l'avrebbero, che so, fotografato, fatto riconoscere. Da quel momento in poi avrebbero avuto mio marito in pugno, un burattino nelle loro mani ».

« Loro chi? ».

« I suoi avversari politici, credo, o qualche suo socio d'affari ».

« Vede, signora, il suo ragionamento, anzi, la sua supposizione ha un grave difetto: non può essere suffragata da prove ».

La donna aprì la busta gialla che aveva sempre tenuto in mano, ne estrasse delle foto. Erano quelle che la Scientifica aveva fatto al cadavere nella mànnara.

« Oh Cristo » mormorò Montalbano rabbrividendo. La donna invece, mentre le taliava, non mostrava turbamento.

« Come le ha avute? ».

« Ho buoni amici. Lei le ha viste? ».

« No ».

« E ha fatto male » scelse una foto, la porse a Montalbano assieme alla lente d'ingrandimento. « Ecco, questa, la guardi bene. I pantaloni sono abbassati e s'intravede il bianco delle mutande ».

Montalbano era tutto un sudore, il disagio che provava l'irritava ma non poteva farci niente.

« Non ci vedo nulla di strano ».

« Ah, no? E la marca delle mutande? ».

« Sì, la vedo. E allora? ».

« Non dovrebbe vederla. Questo tipo di mutande, e se viene in camera di mio marito gliene mostro altre, ha la marca di fabbrica sul retro e nella parte interna. Se lei la vede, come la sta vedendo, vuol dire che le mutande sono state indossate a rovescio. E non mi venga a dire che Silvio se l'era messe così alla mattina, vestendosi, e non se n'era accorto. Prendeva un diuretico, era costretto ad andare al bagno diverse volte al giorno, le mutande avrebbe potuto rimettersele per dritto in qualsiasi momento della giornata. E questo sta a significare una sola cosa ».

« Quale? » spiò il commissario sconvolto dal lucido e spietato esame, fatto senza una lacrima, come se il morto fosse un tale vagamente conosciuto.

« Che era nudo, quando l'hanno sorpreso e l'hanno costretto a rivestirsi in fretta. E nudo non poteva che essersi messo nella casetta di Capo Massaria. Ecco perché le ho dato le chiavi. Torno a ripeterle: è un atto criminale contro l'immagine di mio marito, riuscito a metà. Volevano farne un porco da poter dare in pasto ai porci in qualsiasi momento. Se non moriva, sarebbe stato meglio, con la sua copertura obbligata avrebbero potuto fare quello che volevano. In parte il piano è però riuscito: tutti gli uomini di mio marito sono stati esclusi dal nuovo direttivo. Solo Rizzo si è salvato, anzi ci ha guadagnato ».

« Come mai? ».

« Questo sta a lei scoprirlo, se ne ha voglia. Oppure può fermarsi alla forma che hanno fatto prendere all'acqua ».

« Non ho capito, mi scusi ».

« Io non sono siciliana, sono nata a Grosseto, sono venuta a Montelusa quando mio padre ne era prefetto. Possedevamo un pezzetto di terra e una casa alle pendici dell'Amiata, ci passavamo le vacanze. Avevo un amichetto, figlio di contadini, più piccolo di me. Io avevo una decina d'anni. Un giorno vidi che il mio amico aveva messo sull'orlo di un pozzo una ciotola, una tazza, una teiera, una scatola di latta quadrata, tutte colme d'acqua, e le osservava attentamente.

« " Che fai? " gli domandai. E lui, a sua volta, mi fece una domanda.

« " Qual è la forma dell'acqua? ".

« " Ma l'acqua non ha forma! " dissi ridendo: " Piglia la forma che le viene data " ».

In quel momento la porta dello studio si aprì ed apparve un angelo

Undici

L'angelo, altrimenti sul momento Montalbano non seppe come definirlo, era un giovane di circa vent'anni, alto,
biondo, abbronzatissimo, perfetto di corpo, di efebica
aura. Un raggio di sole ruffiano si era premurato d'inon-
darlo di luce sulla soglia, ne metteva in evidenza gli apol-
linei tratti del viso.

« Posso entrare, zia? ».

« Entra, Giorgio, entra ».

Mentre il giovane muoveva verso il divano, senza peso,
come se i suoi piedi non toccassero terra ma scivolassero
sul pavimento, percorrendo un cammino tortuoso, quasi
a spirale, sfiorando gli oggetti che a tiro di mano gli ve-
nivano, anzi, più che sfiorando, lievemente carezzando,
Montalbano colse l'occhiata della signora che gl'intimava
di mettersi in tasca la fotografia che teneva tra le mani.
Obbedì, anche la vedova rimise lestamente le altre foto
nella busta gialla che posò allato a sé, sul divano. Quando il giovane gli fu vicino, il commissario notò che aveva gli occhi azzurri striati di rosso, gonfi di pianto, se-
gnati dalle occhiaie.

« Come ti senti, zia? » spiò con voce quasi cantante,
e accanto alla donna con eleganza s'inginocchiò, posan-
dole la testa in grembo. Alla memoria di Montalbano bal-
zò illuminatissimo, come sotto la luce di un riflettore, un

dipinto che aveva una volta visto, e non ricordava dove, il ritratto di una dama inglese con un levriero nella stessa identica posizione che aveva assunto il giovane.

« Questo è Giorgio » disse la signora. « Giorgio Zìcari, figlio di mia sorella Elisa che ha sposato Ernesto Zìcari, il penalista, forse lei lo conosce ».

Mentre parlava, la signora gli carezzava i capelli. Giorgio non diede cenno d'aver capito le parole, con evidenza assorto nel suo devastante dolore, non si volse nemmeno in direzione del commissario. Del resto la signora si era ben guardata di dire al nipote chi era Montalbano e cosa faceva in quella casa.

« Sei riuscito a dormire stanotte? ».

Per tutta risposta Giorgio scosse la testa.

« Allora fai così. Hai visto che di là c'è il dottor Capuano? Vai da lui, fatti prescrivere un forte sonnifero e mettiti a letto ».

Senza aprire bocca Giorgio fluidamente si alzò, levitò sul pavimento nel suo singolare moto a spirale, sparì oltre la porta.

« Lo deve scusare » disse la signora. « Giorgio è senza dubbio la persona che più ha sofferto e soffre per la scomparsa di mio marito. Vede, io ho voluto che mio figlio studiasse e si facesse una posizione indipendentemente dal padre, lontano dalla Sicilia. E le ragioni lei può, forse, intuirle. Di conseguenza, al posto di Stefano, mio marito ha riversato il suo affetto sul nipote e ne è stato ricambiato sino all'idolatria, è venuto addirittura a vivere con noi, con grande dispiacere di mia sorella e di suo marito che si sono sentiti abbandonati ».

Si alzò, Montalbano fece lo stesso.

« Le ho detto, commissario, tutto quello che ritenevo doverle dire. So di essere in mani oneste. Se lo stima opportuno mi faccia sapere, a qualsiasi ora del giorno e della notte. Non si faccia scrupolo di risparmiarmi, sono quello che si dice una donna forte. Ad ogni modo, agisca secondo coscienza ».

« Una domanda, signora, che mi assilla da qualche tempo. Perché non si preoccupò d'avvertire che suo marito non era tornato... mi spiego meglio: era non preoccupante il fatto che suo marito non fosse rientrato quella notte? Gli era capitato altre volte? ».

« Sì, gli era capitato. Però, vede, domenica sera mi telefonò ».

« Da dove? ».

« Non glielo so dire. Mi disse che avrebbe fatto molto tardi. Aveva una riunione importante, possibile addirittura che fosse costretto a trascorrere la notte fuori ».

Gli porse la mano, e il commissario, senza sapere perché, quella mano strinse tra le sue e baciò.

Appena uscito sempre dalla parte posteriore della villa, scorse Giorgio seduto su di una panchina di pietra poco distante, piegato in due, scosso da brividi convulsi.

Montalbano si avvicinò, preoccupato, e vide le mani del giovane aprirsi, lasciar cadere la busta gialla e le foto che si sparpagliarono per terra. Evidentemente, mosso da una curiosità gattesca, se n'era impadronito mentre stava accoccolato vicino alla zia.

« Si sente male? ».

« Non così, oh Dio, non così! ».

Giorgio parlava con voce impastata, gli occhi vitrei, non aveva manco notato la presenza del commissario. Fu un attimo, e subito s'irrigidì, cadendo all'indietro dalla panchina senza spalliera. Montalbano gli si inginocchiò accanto, tentò in qualche modo d'immobilizzare quel corpo squassato da spasimi, una bava bianca gli si stava formando ai lati della bocca.

Stefano Luparello apparve sulla porta della villa, si taliò attorno, vide la scena, si precipitò.

« La rincorrevo per salutarla. Che succede? ».

« Un attacco epilettico, credo ».

Si ingegnarono a far sì che al culmine della crisi Giorgio non si troncasse la lingua coi denti e non sbattesse violentemente il capo. Poi il giovane si calmò, rabbrividiva senza violenza.

« Mi aiuti a portarlo dentro » disse l'ingegnere.

La cameriera, quella stessa che aveva aperto al commissario, accorse alla prima chiamata dell'ingegnere.

« Non vorrei che mamma lo vedesse in questo stato ».

« Da me » disse la ragazza.

Camminarono con difficoltà per un corridoio diverso da quello che il commissario aveva prima percorso, Montalbano teneva Giorgio sotto le ascelle, Stefano lo reggeva per i piedi. Arrivati a quella che era l'ala della servitù, la cameriera aprì una porta. Deposero il giovane sul letto, ansanti. Giorgio pareva sprofondato in un sonno piombigno.

« Aiutatemi a spogliarlo » disse Stefano.

Solo quando il giovane rimase in boxer e canottiera, Montalbano notò che, dalla base del collo fino a sotto il mento, la pelle era bianchissima, diafana, e faceva acuto contrasto con la faccia e il petto cotti dal sole.

« Lo sa perché qui non è abbronzato? » spiò all'ingegnere.

« Non lo so » disse l'ingegnere « sono tornato a Montelusa solo lunedì pomeriggio, dopo mesi di assenza ».

« Io sì » intervenne la cameriera. « Il signorino si era

fatto male, aveva avuto un incidente di macchina. Il collare se l'è levato manco una settimana fa ».

« Quando si riprende ed è in grado di capire » disse Montalbano a Stefano « gli dica che domattina, verso le dieci, faccia un salto nel mio ufficio, a Vigàta ».

Tornò alla panchina, raccolse da terra la busta e le foto di cui Stefano non si era accorto, le intascò.

Dalla curva Sanfilippo, Capo Massaria distava un centinaio di metri, ma il commissario non riuscì a vedere la casetta che doveva sorgere proprio sulla punta, almeno stando a quello che gli aveva detto la signora Luparello. Rimise in moto, procedendo molto lentamente. Quando fu proprio all'altezza del capo, notò tra gli alberi folti e bassi, un viottolo che si dipartiva dalla strada provinciale. L'imboccò e dopo poco si vide la straducola sbarrata da un cancello, unica apertura su un lungo muro a secco che completamente isolava la parte del capo che strapiombava sul mare. Le chiavi erano giuste. Montalbano lasciò la macchina fuori dal cancello e si avviò per un sentierino da giardino, fatto di blocchi di tufo incassati a terra. Al termine, scese per una piccola scalinata, sempre di tufo, che immetteva su una specie di pianerottolo nel quale si apriva la porta di casa, invisibile dalla parte di terra perché costruita a nido d'aquila, come certi rifugi di montagna incastonati nella roccia.

Si trovò in un vasto salone affacciato sul mare, anzi sospeso sul mare, e l'impressione d'essere sul ponte di una nave era rinforzata da una vetrata a parete intera. L'ordine era perfetto. C'erano un tavolo da pranzo e quattro sedie in un angolo, un divano e due poltrone erano invece rivolte verso la vetrata, una credenza ottocentesca piena di bicchieri, piatti, bottiglie di vino e liquori, un televisore con videoregistratore. Allineate su un basso tavolinetto, cassette di film porno e no. Sul salone si aprivano tre porte, la prima dava su una cucinetta pulitissima, i pensili stracolmi di cibarie, il frigorifero era invece semivuoto, fatta eccezione per alcune bottiglie di champagne e di vodka. Il bagno, piuttosto spazioso, odorava di lysoform. Nel ripiano sotto lo specchio, un rasoio elettrico, deodoranti, un flacone d'acqua di colonia. Nella stanza da letto, dove una larga finestra dava anch'essa sul mare, il letto matrimoniale ricoperto da lenzuola di bucato, due comodini su uno dei quali un telefono, un armadio a tre ante. Sul muro a capo del letto, un disegno di Emilio Greco, un nudo sensualissimo. Montalbano aprì il tiretto del comodino sul quale stava il telefono, quello era sicuramente il lato che l'ingegnere di solito occupava. Tre preservativi, una biro, un blocco d'appunti dai fogli bianchi. Lo fece sussultare la pistola, una sette e sessantacinque, proprio in fondo al cassetto, carica. Il tiretto dell'altro comodino era vuoto. Aprì l'anta di sinistra dell'armadio, c'erano due vestiti maschili. Nel cassetto più in alto, una camicia, tre mutande, dei fazzoletti, una canottiera. Controllò le mutande, la signora aveva ragione, la marca era interna e posteriore. In quello più basso, un paio di mocassini e uno di scendiletto. Uno specchio copriva interamente l'anta centrale e rifletteva il letto. Quella sezione dell'armadio era divisa in tre ripiani, il più alto e quello mediano contenevano, alla rinfusa, cappelli, riviste italiane e straniere unite dal comune denominatore della pornografia, un vibratore, lenzuola e federe di ricambio. Sul ripiano inferiore tre parrucche da donna messe sugli appositi sostegni, una bruna, una bionda, una rossa. Forse facevano parte dei giochi erotici dell'ingegnere. La sorpresa grossa l'ebbe invece all'apertura dell'anta di destra: due vestiti da donna, molto eleganti, pendevano dalle grucce. C'erano anche due jeans e alcune camicette. In un cassetto, mutandine minuscole, nessun reggiseno. L'altro era vuoto. E mentre si chinava a ispezionare meglio quel cassetto, Montalbano capì cos'era che l'aveva tanto sorpreso, non la vista degli abiti femminili, quanto il profumo che da essi emanava: lo stesso che aveva percepito, solo più vagamente, alla vecchia fabbrica, appena aperta la borsa a sacco.

Altro non c'era da vedere, fu solo per scrupolo che si chinò a taliare sotto i mobili. Una cravatta si era arrotolata ad uno dei piedi posteriori del letto. La raccolse, ricordandosi che l'ingegnere era stato ritrovato col collo della camicia aperto. Estrasse dalla sacchetta le fotografie e si persuase che, per il colore, sarebbe andata benissimo con il vestito che l'ingegnere indossava al momento della morte.

Al commissariato, trovò Germanà e Galluzzo in agitazione.

« E il brigadiere? ».

« Fazio è con gli altri al distributore di benzina, quello verso Marinella, c'è stata una sparatoria ».

« Ci vado subito. Hanno mandato qualcosa per me? ».

« Sì, un pacchetto, da parte del dottor Jacomuzzi ».

L'aprì, era il gioiello, lo rimpacchettò.

« Germanà, tu vieni con me, andiamo a questo distributore. Mi lasci là e prosegui per Montelusa con la mia macchina. Ti dirò per strada cosa devi fare ».

Entrò nella sua stanza, telefonò all'avvocato Rizzo, gli fece sapere che la collana era in viaggio, aggiunse di consegnare allo stesso agente l'assegno di dieci milioni.

Mentre dirigevano verso il luogo della sparatoria, il commissario spiegò a Germanà che non doveva lasciare il pacchetto a Rizzo se prima non aveva in tasca l'assegno, e che quest'assegno lo doveva portare, e gli diede l'indirizzo, a Saro Montaperto, raccomandandogli di esigerlo appena sarebbe stata aperta la banca, alle otto del mattino del giorno dopo. Non sapeva spiegarsene il motivo, e la cosa gli dava un enorme fastidio, ma sentiva che la faccenda Luparello volgeva rapidamente alla conclusione.

« Poi torno a prenderla al distributore? ».

« No, fermati al commissariato. Io me ne vengo con l'auto di servizio ».

La macchina della polizia e un'auto privata sbarravano gli accessi al distributore. Appena sceso, mentre Germanà pigliava la strada per Montelusa, il commissario venne investito da un acuto odore di benzina.

« Stia attento a dove mette i piedi! » gli gridò Fazio.

La benzina aveva formato un pantano, le esalazioni diedero a Montalbano un senso di nausea e un leggero stordimento. Ferma al distributore c'era un'auto targata Palermo, il parabrezza spaccato.

« C'è stato un ferito, quello ch'era al volante » disse il brigadiere. « È stato portato via dall'ambulanza ».

« Grave? ».

« No, una fesseria. Ma s'è preso uno scanto grande ».

« Cos'è successo, precisamente? ».

« Se vuole parlare lei stesso col benzinaio... ».

Alle domande del commissario, l'uomo rispose con una voce dal registro così acuto che fece su Montalbano lo stesso effetto di un'unghia sul vetro. I fatti erano all'incirca andati in questo modo: si era fermata una macchina, l'unica persona a bordo aveva chiesto il pieno, il benzinaio aveva infilato la pompa nel serbatoio e lì l'aveva lasciata in azione, annullando lo stop all'erogazione, perché intanto era sopraggiunta un'altra macchina il cui conducente aveva domandato trentamila di carburante e una guardatina all'olio. Mentre il benzinaio stava per servire anche il secondo cliente, un'auto, dalla strada, aveva sparato una raffica di mitra e aveva accelerato, scomparendo nel traffico. L'uomo che era alla guida della prima macchina era subito partito all'inseguimento, la pompa si era sfilata e aveva continuato a erogare carburante. Il conducente della seconda vettura gridava come un pazzo, era stato ferito di striscio a una spalla. Passato il primo momento di panico e resosi conto che non c'era più alcun pericolo, il benzinaio aveva soccorso il ferito, e intanto la pompa continuava a spargere benzina per terra.

« Hai visto in faccia l'uomo della prima macchina, quello che si è messo all'inseguimento? ».

« Nonsi ».

« Ne sei proprio sicuro? ».

« Quant'è vero Dio ».

Intanto erano arrivati i vigili del fuoco chiamati da Fazio.

« Facciamo così » disse Montalbano al brigadiere « appena i pompieri hanno finito, pigli il benzinaio che non mi persuade per niente e te lo porti al commissariato. Mettilo sotto torchio, quello sa benissimo chi era l'uomo che volevano sparare ».

« Lo penso magari io ».

« Quanto ci scommetti che è uno della latata dei Cuffaro? Questo mese mi pare che tocca a uno di loro ».

« Che mi vuole levare i soldi della sacchetta! » spiò ridendo il brigadiere. « Lei la scommessa l'ha già vinta ».

« Arrivederci ».

« E dove va? Vuole che l'accompagni con l'auto di servizio? ».

« Vado a casa a cambiarmi. Da qui, a piedi, ci vorranno una ventina di minuti. Tanticchia d'aria mi farà bene ».

Si avviò, non gli andava di presentarsi a Ingrid Sjostrom vestito come un figurino.

Dodici

Si piazzò davanti alla televisione appena uscito dalla doccia, ancora nudo e gocciolante. Le immagini erano quelle del funerale di Luparello che si era svolto nella mattinata, il cameraman si era reso conto che le uniche persone in grado di conferire una certa drammaticità alla cerimonia, altrimenti assai simile a una delle tante, noiose, manifestazioni ufficiali, erano quelle che componevano il trio vedova, figlio Stefano, nipote Giorgio. La signora, senza rendersene conto, di tanto in tanto aveva uno scatto nervoso della testa, all'indietro, come a dire ripetutamente no. Quel no il commentatore, voce bassa e compunta, interpretava come il gesto evidente di una creatura che alla concretezza della morte illogicamente si rifiutava, ma mentre il cameraman su di lei zoomava fino a coglierne lo sguardo, Montalbano trovò conferma di quanto già la vedova gli aveva confessato: in quegli occhi c'erano solo disprezzo e noia. Allato sedeva il figlio, « impietrito dal dolore » diceva lo speaker, e lo definiva impietrito solo perché il giovane ingegnere mostrava una compostezza che rasentava l'indifferenza. Giorgio invece cimiava come un albero sotto vento, oscillava livido, fra le mani un fazzoletto continuamente turciuniato, assuppato di lacrime.

Squillò il telefono, andò a rispondere senza staccare lo sguardo dal televisore.

« Commissario, sono Germanà. Tutto a posto. L'avvocato Rizzo la ringrazia, dice che troverà modo di sdebitarsi ».

Di qualcuno di questi modi di sdebitarsi dell'avvocato, si sussurrava, i creditori ne avrebbero volentieri fatto a meno.

« Poi sono andato da Saro e gli ho dato l'assegno. Li ho dovuti persuadere, non si convincevano, pensavano a una babbiata, poi si sono messi a baciarmi le mani. Le sparagno tutto quello che il Signore, a loro parere, dovrebbe fare nei suoi confronti. La macchina è al commissariato. Che faccio, gliela porto a casa? ».

Il commissario taliò l'orologio, all'incontro con Ingrid mancava poco più di un'ora.

« Va bene, ma con comodo. Diciamo che per le nove e mezza sei qua. Poi ti riaccompagno io in paese ».

Non voleva mancare il momento del finto svenimento, si sentiva come uno spettatore al quale un prestigiatore avesse rivelato il trucco e uno allora si gode non più la sorpresa, ma l'abilità. A mancare invece fu il cameraman, che quel momento non fece a tempo a cogliere sia pure velocemente panoramicando dal primo piano del ministro al gruppo dei famigliari, già Stefano e due volenterosi stavano portando fuori la signora, mentre Giorgio restava al suo posto, e continuava a cimiare.

Invece di lasciare Germanà davanti al commissariato e proseguire, Montalbano scese con lui. Trovò Fazio di ritorno da Montelusa, aveva parlato col ferito che si era finalmente calmato. Si trattava, gli raccontò il brigadiere, di un rappresentante di elettrodomestici, milanese, che una volta ogni tre mesi pigliava l'aereo, sbarcava a Palermo, affittava una macchina e si faceva il giro. Quando si era fermato al distributore, si era messo a taliare un foglio per controllare l'indirizzo del prossimo negozio da visitare e poi aveva sentito dei colpi e un dolore acuto alla spalla. Fazio ci credeva, al racconto.

« Dottò, quello quando se ne torna a Milano, si mette con quelli che vogliono staccare la Sicilia dal nord ».

« E il benzinaio? ».

« Il benzinaro è cosa diversa. Ci sta parlando Giallombardo, sa com'è fatto, uno sta due ore con lui, chiacchiera come se lo conoscesse da cent'anni e dopo s'adduna d'avergli detto segreti che non direbbe manco al parrino in confessione ».

Le luci erano spente, la porta a vetri d'accesso sbarrata, Montalbano aveva scelto proprio il giorno di chiusura settimanale del bar Marinella. Parcheggiò la macchina e attese. Pochi minuti dopo arrivò una biposto, rossa, piatta come una sogliola. Ingrid aprì lo sportello, scese. Sia pure alla scarsa luce di un lampione, il commissario vide che era meglio di come se l'era immaginata, jeans attillati fasciavano le gambe lunghissime, camicia bianca scollata con le maniche arrotolate, sandali, capelli raccolti a crocchia: una vera femmina da copertina. Ingrid si taliò attorno, notò le luci spente, indolentemente ma a colpo sicuro si diresse verso la macchina del commissario, si chinò a parlargli dal finestrino aperto.

« Hai visto che avevo ragione? Ora dove si va, a casa tua? ».

« No » fece rabbioso Montalbano. « Salga ».

La donna obbedì e subito l'automobile si riempì del profumo che al commissario era già noto.

« Dove si va? » ripeté la donna. Ora non babbiava,

non scherzava più, da femmina di gran razza, aveva avvertito il nervosismo dell'uomo.

« Ha tempo? ».

« Tutto quello che voglio ».

« Andiamo in un posto dove lei si sentirà a suo agio, perché c'è già stata, vedrà ».

« E la mia auto? ».

« Poi passeremo a riprenderla ».

Partirono, e dopo qualche minuto di silenzio, Ingrid fece la domanda che avrebbe dovuto fare per prima.

« Perché hai voluto vedermi? ».

Il commissario stava considerando l'idea che gli era venuta dicendole di salire in macchina con lui, era una pensata proprio da sbirro, ma lui sempre sbirro era.

« Volevo vederla perché ho da farle alcune domande ».

« Senti, commissario, io do del tu a tutti, se tu mi dai del lei mi metti in imbarazzo. Come ti chiami di nome? ».

« Salvo. L'avvocato Rizzo ti ha detto che abbiamo ritrovato la collana? ».

« Quale? ».

« Come, quale? Quella col cuore di diamanti ».

« No, non me l'ha detto. E poi io non ho rapporti con lui. L'avrà sicuramente detto a mio marito ».

« Levami una curiosità, ma tu i gioielli sei abituata a perderli e a ritrovarli? ».

« Perché? ».

« Ma come, ti dico che abbiamo trovato la tua collana che vale un centinaio di milioni e non batti ciglio? ».

Ingrid rise di gola, sommessamente.

« Il fatto è che non mi piacciono. Vedi? ».

Gli mostrò le mani.

« Non porto anelli, nemmeno quello di matrimonio ».

« Dov'è che l'avevi persa? ».

124

Ingrid non rispose subito.

« Si sta ripassando la lezione » pensò Montalbano.

Poi la donna attaccò a parlare, meccanicamente, il fatto d'essere straniera non l'aiutava a mentire.

« Avevo curiosità di vedere questa mannàra... ».

« Mànnara » corresse Montalbano.

« ... di cui avevo sentito parlare. Ho persuaso mio marito a portarmici. Lì sono scesa, ho fatto qualche passo, sono stata quasi aggredita, mi sono spaventata, temevo che mio marito si mettesse a litigare. Siamo ripartiti. A casa mi sono accorta che non avevo più la collana ».

« E com'è che quella sera te l'eri messa, dato che non ti piacciono i gioielli? Non mi sembra proprio adatta per andare alla mànnara ».

Ingrid esitò.

« L'avevo messa perché nel pomeriggio ero stata con un'amica che voleva vederla ».

« Senti » disse Montalbano « devo farti una premessa. Io sto parlando con te sempre come commissario, ma in forma ufficiosa, mi spiego? ».

« No. Che cosa vuole dire ufficiosa? Non conosco la parola ».

« Significa che quello che mi dirai resterà tra te e me. Come mai tuo marito ha scelto proprio Rizzo come avvocato? ».

« Non doveva? ».

« No, almeno a rigore di logica. Rizzo era il braccio destro dell'ingegnere Luparello, vale a dire il più grosso avversario politico di tuo suocero. A proposito, lo conoscevi Luparello? ».

« Di vista. Rizzo è da sempre l'avvocato di Giacomo. E io non capisco un cazzo di politica ».

Si stirò, le braccia arcuate all'indietro.

« Mi sto annoiando. Peccato. Pensavo che l'incontro con un poliziotto sarebbe stato più eccitante. Posso sapere dove stiamo andando? C'è ancora molta strada? ».

« Siamo quasi arrivati » disse Montalbano.

Appena passata la curva Sanfilippo, la donna si fece nervosa, taliò due o tre volte con la coda dell'occhio il commissario, mormorò:

« Guarda che non ci sono bar, da queste parti ».

« Lo so » disse Montalbano e, rallentando l'andatura, prese la borsa a sacco che aveva messa dietro il sedile dove ora stava seduta Ingrid. « Voglio che tu veda una cosa ».

Gliela posò sulle ginocchia. La donna la guardò e parve veramente sorpresa.

« Com'è che ce l'hai tu? ».

« È tua? ».

« Certo che è mia, guarda, ci sono le mie iniziali ».

Vedendo che le due lettere dell'alfabeto mancavano, restò ancora più interdetta.

« Saranno cadute » disse a bassa voce, ma non era persuasa. Si stava perdendo in un labirinto di domande senza risposta, ora qualcosa cominciava a preoccuparla, era evidente.

« Le tue iniziali ci sono ancora, non le puoi vedere perché siamo al buio. Le hanno strappate, ma è rimasta la loro impronta sul cuoio ».

« Ma perché le hanno tolte? E chi? ».

Adesso nella sua voce suonava una nota d'angoscia. Il commissario non le rispose, però sapeva benissimo perché l'avevano fatto, proprio per fargli credere che Ingrid avesse tentato di rendere anonima la borsa. Erano arrivati all'altezza del viottolo che immetteva a Capo Massaria e Montalbano, che aveva accelerato come se volesse proseguire dritto, violentemente sterzò, imboccandolo. In un attimo, e senza una parola, Ingrid spalancò lo sportello, agilmente scese dalla macchina in corsa, si diede alla fuga tra gli alberi. Bestemmiando, il commissario frenò, saltò fuori, iniziò l'inseguimento. Dopo pochi secondi si rese conto che mai avrebbe potuto raggiungerla e si fermò, indeciso: proprio allora la vide cadere. Quando le fu accanto, Ingrid, che non si era potuta rialzare, interruppe un suo monologo svedese che però chiaramente esprimeva paura e rabbia.

« Vaffanculo! » e continuò a massaggiarsi la caviglia destra.

« Alzati e non fare più stronzate ».

Obbedì con fatica, si appoggiò a Montalbano che era rimasto immobile, senza aiutarla.

Il cancello si aprì con facilità, fu invece la porta d'ingresso a opporre resistenza.

« Faccio io » disse Ingrid. L'aveva seguito senza fare un gesto, come rassegnata. Ma aveva organizzato un suo piano di difesa.

« Tanto, dentro, non ci troverai niente » disse sulla soglia con tono di sfida.

Accese la luce, sicura di sé, ma alla vista dei mobili, delle videocassette, della stanza perfettamente arredata, ebbe uno scoperto moto di sorpresa, una ruga le si disegnò sulla fronte.

« Mi avevano detto... ».

Si controllò subito, interrompendosi. Alzò le spalle, taliò Montalbano aspettando che facesse un'altra mossa.

« In camera da letto » disse il commissario.

Ingrid aprì la bocca, stava per dire una battuta facile, ma si scoraggiò, volse le spalle, zoppicando si recò nell'altra stanza, accese la luce, questa volta non mostrando nessuna sorpresa, se l'aspettava che tutto fosse in ordine. Sedette ai piedi del letto. Montalbano aprì l'anta di sinistra dell'armadio.

« Sai di chi sono questi vestiti? ».

« Devo pensare che siano di Silvio, l'ingegnere Luparello ».

Aprì l'anta centrale.

« Queste parrucche sono tue? ».

« Mai portata una parrucca ».

Quando aprì l'anta di destra, Ingrid chiuse gli occhi.

« Guarda, tanto non risolvi niente. Sono tuoi? ».

« Sì. Ma... ».

« ...ma non avrebbero dovuto più esserci » concluse per lei Montalbano.

Ingrid trasalì.

« Come lo sai? Chi te l'ha detto? ».

« Non me l'ha detto nessuno, l'ho capito da solo. Faccio il poliziotto, te lo ricordi? Anche la borsa a sacco stava nell'armadio? ».

Ingrid fece cenno di sì con la testa.

« E la collana che hai detto d'aver perduta dov'era? ».

« Dentro la borsa. Una volta ho dovuto metterla poi sono venuta qua e l'ho lasciata ».

Fece una pausa, taliò a lungo il commissario negli occhi.

« Cosa significa tutto questo? ».

« Torniamo di là ».

Ingrid prese un bicchiere dalla credenza, lo riempì a metà di whisky liscio, lo bevve praticamente in un sorso solo, lo riempì di nuovo.

« Tu ne vuoi? ».

Montalbano disse di no, si era seduto sul divano, talia-

va il mare, la luce era abbastanza bassa per farlo intra-
vedere al di là della vetrata. Ingrid venne a sedersi accanto a lui.

« Sono stata qua a guardare il mare in occasioni mi-
gliori ».

Scivolò tanticchia sul divano, appoggiò la testa sulla
spalla del commissario che non si mosse, aveva subito capito che quel gesto non era un tentativo di seduzione.

« Ingrid, ti ricordi quello che ti ho detto in macchina?
Che il nostro era un discorso ufficioso? ».

« Sì ».

« Rispondimi sinceramente. I vestiti nell'armadio li hai
portati tu o ci sono stati messi? ».

« Li ho portati io. Mi potevano servire ».

« Eri l'amante di Luparello? ».

« No ».

« Come no? Qui mi pare che sei di casa ».

« Con Luparello sono stata a letto una sola volta, sei
mesi dopo che ero arrivata a Montelusa. Dopo mai più.
Mi ha portata qui. Ma è successo che siamo diventati amici, amici veri, come mai, nemmeno al mio paese, m'era ac-
caduto con un uomo. Potevo dirgli tutto, proprio tutto,
se mi capitava un guaio riusciva a tirarmene fuori, senza
fare domande ».

« Vuoi farmi credere che in quell'unica volta che sei
stata qui ti sei portata appresso vestiti, jeans, mutandine,
borsa e collana? ».

Ingrid si scostò, irritata.

« Non voglio farti credere nulla. Ti stavo raccontando.
Dopo qualche tempo ho chiesto a Silvio se potevo di tanto
in tanto usare questa casa e lui mi ha detto di sì. Mi ha
pregato di una sola cosa, di essere molto discreta e di non
dire mai a chi apparteneva ».

« Se decidevi di venirci, come facevi a sapere che l'appartamento era libero e a tua disposizione? ».

« Avevamo concordato una serie di squilli telefonici. Io con Silvio sono stata di parola. Qui ci portavo un solo uomo, sempre lo stesso ».

Bevve un lungo sorso, si era come incurvata nelle spalle.

« Un uomo che da due anni è voluto entrare a forza nella mia vita. Perché io, dopo, non volevo più ».

« Dopo che? ».

« Dopo la prima volta. Mi faceva paura la situazione. Ma lui era... è come accecato, ha per me, come si dice, un'ossessione. Solo fisica. Ogni giorno mi domanda di vederci. Poi, quando lo porto qui, mi si butta addosso, diventa violento, mi strappa i vestiti. Ecco perché ho i ricambi nell'armadio ».

« Quest'uomo lo sa a chi appartiene la casa? ».

« Non gliel'ho mai detto e del resto lui non me l'ha mai chiesto. Vedi, non è geloso, è solo che mi vuole, non si stancherebbe mai di starmi dentro, in qualsiasi momento pronto a prendermi ».

« Capisco. E Luparello a sua volta sapeva chi portavi qua? ».

« Vale lo stesso, non me l'ha chiesto e non gliel'ho detto ».

Ingrid si alzò.

« Non possiamo andare a parlare altrove? Questo posto adesso mi deprime. Sei sposato? ».

« No » rispose Montalbano sorpreso.

« Andiamo a casa tua » e sorrise senza allegria. « Te l'avevo detto che sarebbe finita così, no? ».

130

Tredici

Nessuno dei due aveva voglia di parlare, se ne stettero per un quarto d'ora in silenzio. Ma il commissario ancora una volta stava cedendo alla sua natura di sbirro. E difatti, giunto all'imbocco del ponte che sovrastava il Canneto, accostò, frenò, scese e disse a Ingrid di fare altrettanto. Dall'alto del ponte, il commissario mostrò alla donna il greto asciutto che s'indovinava al chiaro di luna.

« Vedi » le disse « questo letto di fiume porta dritto alla spiaggia. Ha molta pendenza. È pieno di pietre e di massi. Saresti capace di andare giù con l'auto? »

Ingrid esaminò il percorso, il primo tratto, quello che riusciva a vedere, anzi a indovinare.

« Non te lo so dire. Se fosse giorno sarebbe diverso. Ad ogni modo potrei provare, se lo vuoi ».

Taliò il commissario sorridendo, con gli occhi socchiusi.

« Ti sei informato bene su di me, eh? Allora, che devo fare? ».

« Farlo » disse Montalbano.

« Va bene. Tu aspetti qua ».

Salì in macchina, partì. Bastarono pochi secondi perché Montalbano perdesse di vista la luce dei fari.

« E buonanotte. M'ha pigliato per il culo » si rassegnò il commissario.

E mentre si disponeva alla lunga camminata verso Vigàta, la udì tornare, il motore che urlava.

« Forse ce la faccio. Hai una pila? ».

« È nel cassetto ».

La donna s'inginocchiò, illuminò il di sotto dell'automobile, si rialzò.

« Hai un fazzoletto? ».

Montalbano glielo diede, con esso Ingrid si legò strettamente la caviglia che le doleva.

« Monta ».

A marcia indietro, arrivò all'inizio di una strada sterrata che si dipartiva dalla provinciale e portava fin sotto il ponte.

« Ci provo, commissario. Ma tieni presente che ho un piede fuori uso. Allacciati la cintura. Devo correre? ».

« Sì, ma l'importante è che arriviamo sani e salvi alla spiaggia ».

Ingrid ingranò la marcia e partì sparata. Furono dieci minuti di sballottamento continuo e feroce, Montalbano a un certo punto ebbe l'impressione che la testa ardentemente desiderasse staccarsi dal resto del corpo e volare via dal finestrino. Ingrid invece era tranquilla, decisa, guidava tenendo la punta della lingua fuori dalle labbra e al commissario venne l'impulso di dirle di non tenerla così, poteva staccarsela con un morso involontario. Quando furono arrivati alla spiaggia:

« Ho superato l'esame? » spiò Ingrid.

Nel buio, gli occhi di lei sparluccicavano. Era eccitata e contenta.

« Sì ».

« Facciamolo di nuovo, in salita ».

« Ma tu sei pazza! Basta così ».

Aveva detto giusto, chiamandolo esame. Solo che era

stato un esame che non aveva risolto nulla. Ingrid quella strada sapeva tranquillamente percorrerla, e questo era un punto a suo sfavore, alla richiesta del commissario però non aveva mostrato nervosismo, solo sorpresa, e questo era un punto a suo favore. Il fatto che non avesse scassato niente dell'auto, com'era da considerarsi? Di segno positivo o negativo?

« Allora? Lo rifacciamo? Dai, questo è stato l'unico momento della serata in cui mi sono divertita ».

« No, ho detto di no ».

« Allora guida tu, io ho troppo male ».

Il commissario guidò lungo la ripa di mare, ebbe conferma che la macchina era in ordine, niente di rotto.

« Sei proprio brava ».

« Vedi » disse Ingrid diventata professionale e seria. « Chiunque può scendere per quel tratto. L'abilità consiste nel fare arrivare alla fine la macchina nelle stesse precise condizioni in cui era partita. Perché dopo, magari, ti trovi davanti a una strada asfaltata, non una spiaggia come questa, e devi recuperare correndo. Non mi spiego bene ».

« Ti spieghi benissimo. Chi per esempio dopo la discesa arriva sulla spiaggia con le sospensioni rotte, è uno che non ci sa fare ».

Erano giunti alla mànnara, Montalbano sterzò a destra.

« Vedi quel grosso cespuglio? Lì è stato trovato Luparello ».

Ingrid non disse niente, non mostrò nemmeno molta curiosità. Fecero il viottolo, quella sera c'era scarso movimento, e sotto il muro della vecchia fabbrica:

« Qui la donna che era con Luparello ha perso la collana e ha gettato la borsa a sacco al di là del muro ».

« La mia borsa? ».

« Sì ».

« Non sono stata io » mormorò Ingrid « e ti giuro che di questa storia non ci capisco niente ».

Quando arrivarono alla casa di Montalbano, Ingrid non ce la fece a scendere dalla vettura, il commissario dovette circondarla con un braccio alla vita mentre lei si appoggiava alla sua spalla. Appena dentro, la donna si abbandonò sulla prima sedia che le venne a tiro.

« Cristo! Ora mi fa veramente male ».

« Vai di là e levati i pantaloni, così posso farti una fasciatura ».

Ingrid si alzò con un lamento, s'incamminò zoppicando, sorreggendosi ai mobili e alle pareti.

Montalbano chiamò il commissariato. Fazio l'informò che il benzinaio si era ricordato di tutto, aveva identificato perfettamente l'uomo al volante, quello che volevano ammazzare. Turi Gambardella, uno dei Cuffaro, come volevasi dimostrare.

« Galluzzo » continuò Fazio « è andato a casa di Gambardella, la moglie dice che non lo vede da due giorni ».

« Avrei vinto la scommessa con te » disse il commissario.

« Perché, secondo lei io sarei stato tanto stronzo da abboccare? ».

Sentì in bagno l'acqua scrosciare, Ingrid doveva appartenere a quella categoria di donne che non sanno resistere alla vista di una doccia. Formò il numero di Gegè, quello del telefonino.

« Sei solo? Puoi parlare? ».

« Per essere solo, sono solo. Per parlare, dipende ».

« Ti devo chiedere solo un nome. È un'informazione

134

che non ti compromette, chiaro? Ma voglio una risposta precisa ».

« Il nome di chi? ».

Montalbano glielo spiegò e Gegè non ebbe difficoltà a farlo, quel nome, e per buon peso aggiunse anche un soprannome.

Ingrid si era distesa sul letto, aveva addosso un grande asciugamano che la copriva assai poco.

« Scusami, ma non riesco a stare in piedi ».

Montalbano da un pensile del bagno pigliò un tubetto di pomata e un rotolo di garza.

« Dammi la gamba ».

Nel movimento, i minuscoli slip di lei fecero capolino e anche un seno, che pareva pittato da un pittore che di femmine ne capiva, mostrò un capezzolo che pareva taliarsi attorno, incuriosito dell'ambiente sconosciuto. Anche questa volta Montalbano capì che in Ingrid non c'era nessuna volontà di seduzione, e gliene fu grato.

« Vedrai che fra un poco ti sentirai meglio » le disse dopo averle spalmato la pomata sulla caviglia e averla strettamente avvolta nella garza. Per tutto il tempo, Ingrid non aveva staccato lo sguardo da lui.

« Ne hai whisky? Portamene mezzo bicchiere senza ghiaccio ».

Era come se si conoscessero da una vita. Montalbano pigliò una sedia, dopo averle dato il bicchiere, e si sedette allato al letto.

« Sai una cosa, commissario? » disse Ingrid, taliandolo, aveva gli occhi verdi, e splendevano. « Tu sei il primo, vero uomo che incontro da cinque anni a questa parte ».

« Meglio di Luparello? ».

« Sì ».

« Grazie. Ora senti le mie domande ».

« Falle ».

Montalbano stava per aprire bocca, quando sentì suonare il campanello della porta. Non aspettava nessuno, andò ad aprire perplesso. Sulla soglia c'era Anna, in borghese, che gli sorrideva.

« Sorpresa! ».

Lo scostò, entrò in casa.

« Grazie dell'entusiasmo. Dove sei stato, tutta la sera? Al commissariato mi hanno detto che eri qua, sono venuta, era tutto buio, ho telefonato almeno cinque volte, niente, poi finalmente ho visto la luce ».

Taliò attentamente Montalbano che non aveva aperto bocca.

« Che hai? Sei diventato muto? Allora senti... ».

S'interruppe, dalla porta della stanza da letto lasciata aperta aveva visto Ingrid, seminuda, un bicchiere in mano. Prima divenne pallida, poi violentemente arrossì.

« Scusatemi » mormorò e si precipitò fuori di corsa.

« Valle dietro! » gli gridò Ingrid. « Spiegale tutto! Io vado via ».

Rabbiosamente, Montalbano diede un calcio alla porta d'entrata che fece vibrare la parete, mentre sentiva l'auto di Anna che ripartiva, sgommando con la stessa rabbia con la quale lui aveva chiuso la porta.

« Non ho il dovere di spiegarle niente, cazzo! ».

« Vado via? ». Ingrid si era alzata a mezzo sul letto, aveva i seni trionfanti fuori dall'asciugamano.

« No. Però copriti ».

« Scusami ».

Montalbano si levò la giacca e la camicia, tenne per un poco la testa sotto l'acqua del rubinetto del bagno, tornò a sedersi allato al letto.

« Voglio sapere per bene la storia della collana ».

« Dunque, lunedì passato Giacomo, mio marito, è stato svegliato da una telefonata che non ho capito, avevo troppo sonno. Si è vestito in fretta ed è uscito. È tornato dopo due ore e mi ha domandato dove era andata a finire la collana, dato che da qualche tempo non la vedeva per casa. Io non potevo rispondergli che era dentro la borsa in casa di Silvio, se lui mi domandava di vederla, non avrei saputo cosa rispondere. Così gli dissi che l'avevo perduta da almeno un anno e che non glielo avevo detto prima perché avevo paura che s'arrabbiasse, quella collana valeva un sacco di soldi, oltretutto me l'aveva regalata lui in Svezia. Allora Giacomo mi ha fatto mettere la firma in fondo a un foglio bianco, serviva per l'assicurazione, mi ha detto ».

« E la storia della mànnara com'è venuta fuori? ».

« Ah, quello è successo dopo, quando è tornato per il pranzo. Mi ha spiegato che il suo avvocato, Rizzo, gli aveva detto che per l'assicurazione occorreva una spiegazione più convincente sullo smarrimento e gli aveva suggerito la storia della mannàra ».

« Mànnara » corresse pazientemente Montalbano, quell'accento spostato gli dava fastidio.

« Mànnara, mànnara » ripeté Ingrid. « A me, sinceramente, la storia non mi convinse, mi pareva storta, troppo inventata. Allora Giacomo mi fece notare che agli occhi di tutti io passavo per una puttana e quindi era da pensare che mi fosse venuta un'idea come quella di farmi portare alla mànnara ».

« Capisco ».

« Ma non capisco io! ».

« Avevano in mente d'incastrarti ».

« Non so la parola ».

« Guarda: Luparello muore alla mànnara mentre sta con una donna che l'ha convinto ad andare là, d'accordo? ».

« D'accordo ».

« Bene, vogliono far credere che quella donna sei tu. Tua è la borsa, tua la collana, tuoi i vestiti in casa di Luparello, tu sai fare la discesa del Canneto... Io dovrei arrivare ad una sola conclusione: quella donna si chiama Ingrid Sjostrom ».

« Ho capito » disse lei e rimase in silenzio, gli occhi fissi sul bicchiere che aveva in mano. Poi si scosse.

« Non è possibile ».

« Cosa? ».

« Che Giacomo sia d'accordo con la gente che vuole incastrarmi, come dici tu ».

« Può darsi che l'abbiano costretto ad essere d'accordo. La situazione economica di tuo marito non è felice, lo sai? ».

« Lui non me ne parla, ma l'ho capito. Sono sicura però che se l'ha fatto, non è stato per soldi ».

« Di questo ne sono quasi convinto anch'io ».

« E perché, allora? ».

« Ci sarebbe un'altra spiegazione, e cioè che tuo marito sia stato costretto a coinvolgerti per salvare una persona che gli sta a cuore più di te. Aspetta ».

Andò nell'altra stanza, dove c'era una piccola scrivania sommersa di carte, pigliò il fax che gli aveva spedito Nicolò Zito.

« Ma salvare un'altra persona da che? » gli spiò Ingrid appena lo vide tornare. « Se Silvio è morto mentre faceva l'amore, non c'è colpa di nessuno, non è stato ammazzato ».

« Proteggere non dalla legge, Ingrid, ma da uno scandalo ».

La donna cominciò a leggere il fax prima sorpresa poi sempre più divertita, rise apertamente all'episodio del Polo-club. Subito dopo si abbuiò, lasciò cadere il foglio sul letto, piegò la testa da un lato.

« È lui, tuo suocero, l'uomo che portavi nel pied-à-terre di Luparello? ».

Per rispondere, Ingrid fece uno sforzo evidente.

« Sì. E a Montelusa vedo che ne parlano, malgrado io abbia fatto di tutto perché non succedesse. È la cosa più sgradevole che mi sia capitata in Sicilia, in tutto il tempo che ci sto ».

« Non c'è bisogno che mi racconti i particolari ».

« Voglio spiegarti che non sono stata io a cominciare. Due anni fa mio suocero doveva partecipare a un congresso, a Roma. Invitò me e Giacomo, ma all'ultimo momento mio marito non poté venire, insistette perché io partissi, a Roma ancora non ero mai stata. Tutto andò bene, però proprio l'ultima notte lui entrò nella mia stanza. Mi sembrò pazzo, andai con lui per farlo stare tranquillo, gridava, mi minacciava. In aereo, durante il viaggio di ritorno, a momenti piangeva, disse che non sarebbe successo mai più. Tu lo sai che abitiamo nello stesso palazzo? Bene, un pomeriggio che mio marito era fuori e io stavo a letto, si presentò, come quella notte, tremava tutto. Anche questa volta ebbi paura, la cameriera era in cucina... Il giorno dopo dissi a Giacomo che volevo cambiare casa, lui cadde dalle nuvole, io insistetti, litigammo. Tornai qualche altra volta sull'argomento e lui ogni volta mi rispose di no. Aveva ragione lui, dal suo punto di vista. Intanto mio suocero insisteva, mi baciava, mi toccava appena poteva, rischiando di farsi vedere da sua moglie, da Giacomo. Per questo ho prega-to Silvio di prestarmi di tanto in tanto la sua casa ».

« Tuo marito ha qualche sospetto? ».

« Non lo so, ci ho pensato. Certe volte mi pare di sì, altre volte mi convinco di no ».

« Ancora una domanda, Ingrid. Quando siamo arriva-ti a Capo Massaria, mentre stavi aprendo la porta, mi hai detto che tanto dentro non ci avrei trovato niente. E quando invece hai visto che dentro c'era tutto e tutto era come sempre, sei rimasta molto sorpresa. Qualcuno ti aveva assicurato che dalla casa di Luparello era stata portata via ogni cosa? ».

« Sì, me l'aveva detto Giacomo ».

« Ma allora tuo marito sapeva? ».

« Aspetta, non mi fare confondere. Quando Giacomo mi ha detto quello che dovevo dire se mi avessero inter-rogato quelli dell'assicurazione, e cioè che ero stata con lui alla mànnara, io mi preoccupai di un'altra cosa, il fat-to che prima o poi, morto Silvio, qualcuno avrebbe potu-to scoprire la sua casetta e dentro c'erano i miei vestiti, la mia borsa e le altre cose ».

« Chi li avrebbe dovuti trovare, secondo te? ».

« Mah, non so, la polizia, i suoi familiari... Dissi tutto a Giacomo, però, gli raccontai una bugia, non gli dissi niente di suo padre, gli feci capire che lì ci andavo con Silvio. La sera mi disse che tutto era a posto, ci avrebbe pensato un amico, se qualcuno ritrovava il villino avrebbe visto solo pareti imbiancate. E io ci ho creduto. Che hai? ».

Montalbano venne preso in contropiede dalla domanda.

« Come, che ho? ».

« Ti tocchi continuamente la nuca ».

« Ah, sì. Mi fa male. Dev'essere stato quando siamo scesi per il Canneto. E la caviglia come va? ».

« Meglio, grazie ».

Ingrid si mise a ridere, passava da uno stato d'animo all'altro, come capita ai bambini.

« Che hai da ridere? ».

« La tua nuca, la mia caviglia... Sembriamo due ricoverati in ospedale ».

« Te la senti di alzarti? ».

« Se fosse per me, resterei qua fino a domani mattina ».

« Abbiamo ancora da fare. Vestiti. Ce la fai a guidare? ».

Quattordici

L'auto rossa a sogliola di Ingrid era ancora ferma al posteggio del bar Marinella, si vede che l'avevano stimata troppo impegnativa per rubarla, non ce n'erano tante in giro a Montelusa e provincia.

« Piglia la tua macchina e seguimi » disse Montalbano. « Torniamo a Capo Massaria ».

« Oddio! A che fare? » Ingrid s'imbronciò, non ne aveva nessuna voglia e il commissario la capiva benissimo.

« Nel tuo stesso interesse ».

Alla luce dei fari, subito astutati, il commissario s'accorse che il cancello della villa era aperto. Scese, si avvicinò all'auto di Ingrid.

« Aspettami qua. Spegni i fari. Ti ricordi se quando siamo andati via abbiamo chiuso il cancello? ».

« Non lo ricordo bene, ma mi pare proprio di sì ».

« Gira la macchina, fai meno rumore possibile ».

La donna eseguì, il muso dell'auto ora puntava verso la strada provinciale.

« Stammi a sentire bene. Io vado giù, e tu stai con le orecchie tese, se mi senti gridare o avverti che qualcosa non ti convince, non starci a pensare, parti, tornatene a casa ».

« Pensi che dentro ci sia qualcuno? ».

« Non lo so. Tu fai come ti ho detto ».

Dalla sua macchina pigliò la borsa a sacco ma anche la pistola. Si avviò cercando di non mettere peso nei passi, scese la scala, la porta d'ingresso questa volta s'aprì senza fare resistenza né rumore. Oltrepassò la soglia, pistola in pugno. Il salone era in qualche modo debolmente illuminato dal riflesso del mare. Con un calcio spalancò la porta del bagno e via via le altre, sentendosi, in chiave comica, un eroe di certi telefilm americani. In casa non c'era nessuno, né c'erano tracce che qualcun altro ci fosse stato, ci volle poco a farsi persuaso che il cancello era stato lui stesso a scordarselo aperto. Aprì la vetrata del salone, guardò sotto. In quel punto Capo Massaria si sporgeva sul mare come la prua di una nave, lì sotto l'acqua doveva essere funnuta. Zavorrò la borsa a sacco di posate d'argento e di un pesante posacenere di cristallo, la fece roteare sopra la testa, la scagliò fuori, non l'avrebbero ritrovata tanto facilmente. Poi dall'armadio della stanza da letto pigliò tutto quello che apparteneva a Ingrid, uscì, si preoccupò di controllare che la porta d'ingresso fosse ben chiusa. Appena apparve in cima alla scala, venne investito dalla luce dei fari dell'auto di Ingrid.

« Ti avevo detto di tenere spenti i fari. E perché hai rigirato la macchina? ».

« Se c'erano guai, non mi piaceva lasciarti solo ».

« Ecco i tuoi vestiti ».

Lei li prese, li mise nel posto allato.

« E la borsa? ».

« L'ho gettata in mare. Ora tornatene a casa. Non hanno più in mano niente per incastrarti ».

Ingrid scese, si avvicinò a Montalbano, l'abbracciò. Stette un poco così, la testa appoggiata al suo petto. Poi, senza più taliarlo, risalì, ingranò la marcia, partì.

Proprio all'imbocco del ponte sul Canneto, c'era un'automobile ferma che quasi ostruiva la strada e un uomo in piedi, i gomiti appoggiati sul tetto, le mani a coprirsi il volto, si dondolava leggermente.

« C'è cosa? » spiò Montalbano frenando.

L'uomo si voltò, aveva la faccia insanguinata, gli colava da una vasta ferita proprio in mezzo alla fronte.

« Un cornuto » rispose.

« Non ho capito, si spieghi meglio » Montalbano scese dall'auto, gli si avvicinò.

« Camminavo frisco frisco e un figlio di buttana mi sorpassa, a momenti gettandomi fuori dalla strada. Allora io mi sono incazzato e ho pigliato a corrergli darré, suonando e con gli abbaglianti addrumati. Quello a un certo momento ha frenato, mettendosi di traverso. È sceso, aveva una cosa in mano che non ho capito, e mi sono scantato pensando a un'arma, è venuto verso di me, io avevo il finestrino abbassato, e senza dire ai né bai m'ha dato una gran botta con quella cosa che ho capito ch'era una chiave inglese ».

« Ha bisogno d'aiuto? ».

« No, il sangue si sta attagnando ».

« Vuole sporgere denuncia? ».

« Non mi faccia ridere, mi fa male la testa ».

« Desidera che l'accompagni all'ospedale? ».

« Si vuole, per favore, fare i cazzi suoi? ».

Da quand'era che non passava una nottata di sonno come Dio comanda? Ora c'era questa minchia di dolore, darré nel cozzo, che non gli dava requie, continuava magari se stava fermo a panza sotto o a panza all'aria, non faceva differenza, il dolore seguitava, surdigno, cardascio-

144

so, senza fitte acute, che forse era peggio. Accese la luce, erano le quattro. Sul comodino c'erano ancora la pomata e il rotolo di garza che gli erano serviti per Ingrid. Li pigliò, davanti allo specchio del bagno si spalmò sulla nuca tanticchia di pomata, capace che gli portava sollievo, e poi con la garza si fasciò il collo, la fissò con un pezzo di sparatrappo adesivo. La fasciatura l'aveva fatta forse troppo stretta, gli veniva di fatica firriare la testa. Si taliò allo specchio. E fu allora che un flash accecante gli esplose nel cervello, oscurò persino la luce del bagno, gli parse d'essere diventato un personaggio dei fumetti che aveva il potere degli occhi a raggi x, che riuscivano persino a vedere dentro le cose.

Al ginnasio, aveva avuto un vecchio parrino insegnante di religione. « La verità è luce » aveva detto un giorno.

Montalbano era uno scolaro murritiuso, scarso di studio, stava sempre all'ultimo banco.

« E allora viene a dire che se in una famiglia tutti dicono la verità, sparagnano sulla bolletta ».

Questo era stato il suo commento ad alta voce, ed era stato cacciato fuori dalla classe.

Ora, a trent'anni e passa dal fatto, domandò mentalmente scusa al vecchio parrino.

« Che faccia laida che ha! » esclamò Fazio appena lo vide arrivare al commissariato. « Non si sente bene? ».

« Lasciami perdere » fu la risposta di Montalbano. « Notizie di Gambardella? L'avete trovato? ».

« Niente. Sparito. Io mi sono fatto il concetto che lo ritroviamo campagna campagna mangiato dai cani ».

C'era però qualcosa nel tono di voce del brigadiere che non lo persuadeva, lo conosceva da troppi anni.

« Che c'è? ».

« C'è che Gallo è andato al pronto soccorso, s'è fatto male a un braccio, niente di serio ».

« Com'è stato? ».

« Con la macchina di servizio ».

« Correva? È andato a sbattere? ».

« Sì ».

« Hai bisogno della mammana per tirarti fuori le parole? ».

« Beh, l'ho mandato d'urgenza al mercato del paese, c'era un'azzuffatina, lui è partito di corsa, lo sa com'è, ha sbandato ed è andato a finire contro un palo. La macchina l'hanno trainata all'autoparco nostro di Montelusa, ce ne hanno data un'altra ».

« Dimmi la verità, Fazio: ci avevano tagliato le gomme? ».

« Sì ».

« E Gallo non ha taliato prima, come ho raccomandato cento volte di fare? Non lo volete capire che tagliarci le gomme è lo sport nazionale di questo minchia di paese? Digli che non si presenti oggi in ufficio perché se lo vedo gli spacco il culo ».

Sbatté la porta della sua stanza, era veramente arrabbiato, cercò dentro una scatola di latta dove teneva di tutto, da francobolli a bottoni caduti, trovò la chiave della vecchia fabbrica, andò via senza salutare.

Seduto sulla trave fradicia accanto alla quale aveva trovato la borsa di Ingrid, taliava quello che l'altra volta gli era parso un oggetto indefinibile, una specie di manicotto di raccordo per tubi, e che ora chiaramente individuava: un collare anatomico, come nuovo, anche se si capiva che era stato usato. Per una forma di suggestione, la nuca tornò a fargli male. Si alzò, pigliò il collare, uscì dalla vecchia fabbrica, tornò al commissariato.

« Commissario? Sono Stefano Luparello ».

« Mi dica, ingegnere ».

« Io l'altro giorno ho avvertito mio cugino Giorgio che lei voleva vederlo stamattina alle dieci. Però, proprio cinque minuti fa, mi ha telefonato mia zia, sua madre. Non credo che Giorgio potrà venire a trovarla, come era nelle sue intenzioni ».

« Che è successo? ».

« Non so di preciso, ma pare che stanotte sia stato sempre fuori di casa, così ha detto la zia. È tornato poco fa, verso le nove, ed era in condizioni da fare pietà ».

« Mi scusi, ingegnere, ma mi pare che sua madre m'avesse detto che dormiva a casa vostra ».

« È vero, ma fino alla morte di mio padre, poi si è trasferito a casa sua. Da noi, senza papà, si sentiva a disagio. Comunque, zia ha chiamato il dottore che gli ha fatto un'iniezione sedativa. Ora dorme profondamente. A me fa molta pena, sa. Lui era forse troppo attaccato a papà ».

« L'ho capito. Gli dica, se vede suo cugino, che avrei veramente bisogno di parlargli. Ma senza fretta, niente d'importante, quando può ».

« Senz'altro. Ah, la mamma, che è vicino a me, mi dice di salutarla ».

« Ricambi. Le dica che io... Sua madre è una donna straordinaria, ingegnere. Le dica che ho molto rispetto per lei ».

« Glielo dirò, grazie ».

Montalbano passò ancora un'ora a firmare carte e altre a scriverne. Erano complessi, quanto inutili, questionari del ministero. Galluzzo, molto agitato, non solo non bussò, ma spalancò la porta tanto da farla ribattere contro la parete.

« E che minchia! Che c'è? ».

« L'ho saputo ora ora da un collega di Montelusa. Hanno ammazzato l'avvocato Rizzo. Sparato. L'hanno trovato vicino alla sua automobile, in contrada San Giusippuzzu. Se vuole, m'informo meglio ».

« Lascia perdere, ci vado io ».

Montalbano taliò l'orologio, erano le undici, uscì di corsa.

In casa di Saro non rispondeva nessuno. Montalbano tuppiò alla porta accanto, venne ad aprire una vecchietta dall'aria guerriera.

« Che c'è? Che modo è di disturbare? ».

« Mi perdoni, signora, cercavo i signori Montaperto ».

« Signuri Montaperto? Ca quali signuri! Chiddri munnizzari vastasi sunnu! ».

Non doveva correre buon sangue fra le due famiglie.

« Lei cu è? ».

« Sono un commissario di pubblica sicurezza ».

La donna s'illuminò in volto, pigliò a fare voci con note acute di contentezza.

« Turiddru! Turiddru! Veni di cursa ccà! ».

« Chi fu? » spiò apparendo un vecchio magrissimo.

« Chistu signuri un commissariu è! Vidi ch'aviva raggiuni!? Vidi ca i guardii i cercanu? U vidi ca eranu genti tinta? U vidi ca sinni scapparu pi nun finiri in galera? ».

« Quando se ne sono scappati, signora? ».

« Mancu mezz'ura, havi. Cu u picciliddru. Si ci curri appressu, capaci ca li trova strata strata ».

« Grazie, signora. Corro all'inseguimento ».

Saro, sua moglie e il picciliddro ce l'avevano fatta.

Lungo la strada per Montelusa venne fermato due volte, prima da una pattuglia di alpini e poi da un'altra di
carabinieri. Il peggio venne sulla via per San Giusippuzzu, praticamente tra sbarramenti e controlli impiegò tre
quarti d'ora per fare manco cinque chilometri. Sul posto
c'erano il questore, il colonnello dei carabinieri, tutta la
questura di Montelusa al completo. C'era magari Anna,
che fece finta di non vederlo. Jacomuzzi si taliava attorno, cercava qualcuno per raccontargli ogni cosa per filo
e per segno. Appena si addunò di Montalbano gli corse
incontro.

« Un'esecuzione in piena regola, spietata ».

« In quanti erano? ».

« Uno solo, almeno a sparare è stato uno solo. Il povero avvocato è uscito dal suo studio alle sei e mezzo di
stamattina, ha preso alcune carte e si è diretto verso
Tabbìta, aveva un appuntamento con un cliente. Dallo
studio è andato via da solo, questo è certo, ma strada
facendo ha caricato in macchina qualcuno che conosceva ».

« Magari si tratta di uno che gli ha domandato un
passaggio ».

Jacomuzzi scoppiò in una risata di cuore, tanto che ci
furono persone che si voltarono a taliarlo.

« E tu te lo vedi Rizzo, con tutti i carichi che porta,
dare tranquillamente passaggio a uno sconosciuto? Ma
se doveva guardarsi persino dall'ombra sua! Tu lo sai
meglio di me che alle spalle di Luparello c'era Rizzo. No,
no, sicuramente è stato qualcuno che lui certamente conosceva, un mafioso ».

« Un mafioso, dici? ».

« La mano sul fuoco. La mafia ha alzato il prezzo, domanda sempre di più, e non sempre i politici sono in condizione di soddisfare le richieste. Ma c'è anche un'altra ipotesi. Avrà fatto qualche sgarro, ora che si sentiva più forte dopo la nomina dell'altro giorno. E non glielo hanno perdonato ».

« Jacomuzzi, mi congratulo, stamattina sei particolarmente lucido, si vede che hai cacato bene. Come fai a essere tanto sicuro di quello che stai dicendo? ».

« Per come quello l'ha ammazzato. Prima gli ha spaccato i coglioni a calci, poi l'ha fatto inginocchiare, gli ha poggiato l'arma alla nuca e ha sparato ».

Istantanea, tornò una fitta di dolore darré il cozzo di Montalbano.

« Cos'era l'arma? ».

« Pasquano dice che ad occhio e croce, considerato il foro d'entrata e quello d'uscita e il fatto che la canna era praticamente premuta sulla pelle, deve trattarsi di una sette e sessantacinque ».

« Dottor Montalbano! ».

« C'è il questore che ti chiama » disse Jacomuzzi e si eclissò. Il questore porse la mano a Montalbano, si sorrisero.

« Come mai anche lei si trova qua? ».

« Veramente, signor questore, me ne sto andando. Ero a Montelusa, ho sentito la notizia e sono venuto per pura e semplice curiosità ».

« A stasera, allora. Mi raccomando, non manchi, mia moglie l'aspetta ».

Era una supposizione, solo una supposizione, ma così labile che se si fosse fermato un attimo a ben considerar-

la si sarebbe lestamente vanificata. Eppure teneva l'acceleratore al massimo e a un posto di blocco rischiò di farsi
sparare addosso. Giunto a Capo Massaria manco spense
il motore, schizzò dall'auto lasciando spalancato lo sportello, aprì con facilità il cancello e la porta d'ingresso,
corse nella stanza da letto. Nel cassetto del comodino la
pistola non c'era più. S'insultò violentemente, era stato
uno stronzo, dopo la prima volta, quando aveva scoperto
l'arma, era tornato altre due volte in quella casa con Ingrid e non si era mai preoccupato di controllare se l'arma era sempre al suo posto, mai, nemmeno quando aveva trovato il cancello aperto e si era messo l'animo in
pace facendosi convinto che era stato lui stesso a scor-
darsi di chiuderlo.

« Ora mi metto a tambasiàre » pensò appena arrivato
a casa. Tambasiàre era un verbo che gli piaceva, significava mettersi a girellare di stanza in stanza senza uno
scopo preciso, anzi occupandosi di cose futili. E così fece,
dispose meglio i libri, mise in ordine la scrivania, rad-
drizzò un disegno alla parete, pulì i fornelli del gas. Tam-
basiàva. Non aveva appetito, non era andato al ristoran-
te e non aveva manco aperto il frigorifero per vedere
quello che Adelina gli aveva preparato.
Aveva come al solito, entrando, acceso la televisione.
La prima notizia che lo speaker di « Televigàta » diede
fu quella dei particolari dell'ammazzatina dell'avvocato
Rizzo. I particolari, perché la novità di quella morte era
stata già data in edizione straordinaria. Il giornalista non
nutriva dubbio alcuno, l'avvocato era stato crudelmente
assassinato dalla mafia, spaventata dal fatto che l'ucciso
era appena assurto a un posto di alta responsabilità politica, posto dal quale meglio avrebbe potuto sviluppare

la lotta alla criminalità organizzata. Perché questa era la parola d'ordine del rinnovamento: guerra senza quartiere alla mafia. Magari Nicolò Zito, rientrato precipitosamente da Palermo, parlava di mafia su « Retelibera », ma lo faceva in modo così contorto che non si capiva niente di quello che andava dicendo. Tra le righe, anzi tra le parole, Montalbano intuì che Zito pensava a un brutale regolamento di conti, ma non lo diceva apertamente, temeva che una nuova querela si aggiungesse alle centinaia che già aveva. Poi Montalbano si stufò di quel chiacchierare a vuoto, spense il televisore, chiuse le persiane per lasciar fuori la luce del giorno, si gettò sul letto vestito com'era, rannicchiandosi. Si voleva accuttufare. Altro verbo che gli piaceva, significava tanto essere preso a legnate quanto allontanarsi dal consorzio civile. In quel momento, per Montalbano erano più che validi tutti e due i significati.

Quindici

Più che una nuova ricetta per cucinare i polipetti, l'invenzione della signora Elisa, la moglie del questore, sembrò al palato di Montalbano una vera ispirazione divina. Se ne pigliò una seconda abbondante porzione e quando vide che anche questa stava per finire, rallentò il ritmo della masticazione, a prolungare, sia pure per poco, il piacere che il piatto gli procurava. La signora Elisa lo taliava felice: come ogni buona cuoca, godeva dell'estatica espressione che si formava sulla faccia dei commensali mentre gustavano una sua portata. E Montalbano, per l'espressività del volto, era fra gli invitati preferiti.

« Grazie, veramente grazie » le disse il commissario alla fine, e sospirò. I purpiteddri avevano in parte operato una sorta di miracolo; in parte, perché se era vero che Montalbano adesso si sentiva in pace con gli uomini e con Dio, era pur vero che continuava ad essere assai poco pacificato con se stesso.

Alla fine della cena la signora sparecchiò, saggiamente mettendo sul tavolo una bottiglia di Chivas per il commissario e una di amaro per il marito.

« Voi ora mettetevi a parlare dei vostri morti ammazzati veri, io me ne vado di là a guardare in televisione i morti finti, li preferisco ».

Era un rito che si ripeteva almeno una volta ogni quindici giorni, a Montalbano il questore e sua moglie erano simpatici e quella simpatia, da parte dei coniugi, era ampiamente ricambiata. Il questore era un uomo fine, colto e riservato, quasi una figura d'altri tempi.

Parlarono della disastrosa situazione politica, delle pericolose incognite che la crescente disoccupazione riservava al paese, della terremotata situazione dell'ordine pubblico. Poi il questore passò a una domanda diretta.

« Mi vuole spiegare perché ancora non ha chiuso con Luparello? Oggi ho ricevuto una telefonata preoccupata da Lo Bianco ».

« Era arrabbiato? ».

« No, glielo ho detto, solo preoccupato. Perplesso, anzi. Non riesce a spiegarsi la ragione del suo tirarla per le lunghe. E nemmeno io, a dire la verità. Guardi, Montalbano, lei mi conosce e sa che mai io mi permetterei di fare la minima pressione su un mio funzionario perché decida in un modo o in un altro ».

« Lo so benissimo ».

« E allora, se sono qui a domandarle, è per una mia personale curiosità, mi spiego? Sto parlando all'amico Montalbano, badi bene. A un amico di cui conosco l'intelligenza, l'acume, e soprattutto una civiltà nei rapporti umani assai rara al giorno d'oggi ».

« Io la ringrazio, signor questore, e sarò sincero come lei merita. Quello che subito non mi ha persuaso di tutta la faccenda è stato il posto di ritrovamento del cadavere. Stonava, ma proprio tanto, in modo stridente, con la personalità e il comportarsi di Luparello, uomo accorto, prudente, ambizioso. Mi sono chiesto: perché l'ha fatto? Perché si è recato fino alla mànnara per un rapporto sessuale che diventava pericolosissimo in quell'ambiente, e tale da mettere a repentaglio la sua immagine? Non ho trovato una risposta. Vede, signor questore, era come se, fatte le debite proporzioni, il presidente della repubblica fosse morto d'infarto mentre ballava il rock in una discoteca d'infimo ordine ».

Il questore alzò una mano a fermarlo.

« Il suo paragone non è calzante » osservò con un sorriso che non era un sorriso. « Abbiamo avuto recentemente qualche ministro che si è scatenato a ballare in nights d'ordine più o meno infimo e non è morto ».

Il « purtroppo » che chiaramente stava per aggiungere gli si perse tra le labbra.

« Ma il fatto resta » proseguì puntigliosamente Montalbano. « E questa prima impressione mi è stata ampiamente confermata dalla vedova dell'ingegnere ».

« L'ha conosciuta? Una signora che è tutta una testa pensante ».

« È stata la signora a domandare di me, dietro sua segnalazione. In un colloquio avuto ieri mi ha detto che suo marito aveva un suo pied-à-terre a Capo Massaria e me ne ha fornito le chiavi. Quindi che ragione aveva di andare ad esporsi in un posto come la mànnara? ».

« Me lo sono domandato anch'io ».

« Ammettiamo, per un momento, per amore di discussione, che ci sia andato, che si sia lasciato convincere da una donna con un potere straordinario di persuasione. Una donna che non era del posto, che l'ha portato lì facendo un percorso assolutamente impervio per arrivarci. Tenga presente che era la donna alla guida ».

« Una strada impervia, dice? ».

« Sì, non solo ho precise testimonianze in proposito, ma quella strada l'ho fatta fare al mio brigadiere e l'ho fatta io stesso. La macchina ha addirittura percorso il greto asciutto del fiume Canneto, scassando le sospensioni.

Appena fermata la macchina quasi dentro un grosso cespuglio della mànnara, la donna monta sull'uomo che le sta a fianco, comincia a fare all'amore. Ed è durante quest'atto che l'ingegnere ha il malessere che lo porta alla morte. La donna però non grida, non domanda soccorso: con agghiacciante freddezza scende dall'auto, percorre lentamente il viottolo che porta alla strada provinciale, monta su una automobile che sopravviene e sparisce ».

« Certo che tutto è molto strano. La donna ha chiesto un passaggio? ».

« Non parrebbe, lei ha colto nel segno. Ho in proposito un'altra testimonianza. L'auto che la prese a bordo arrivò di corsa, addirittura con la portiera aperta, sapeva chi doveva incontrare e far salire senza perdere un minuto di tempo ».

« Mi perdoni, commissario, ma lei queste testimonianze le ha fatte tutte mettere a verbale? ».

« No. Non ce n'era motivo. Vede, un dato è certo: l'ingegnere è morto per cause naturali. Ufficialmente, non ho nessun motivo per fare indagini ».

« Beh, se le cose stanno come dice lei, ci sarebbe per esempio l'omissione di soccorso ».

« Conviene con me che è una fesseria? ».

« Sì ».

« Bene, ero a questo punto, quando la signora Luparello mi ha fatto notare una cosa fondamentale e cioè che suo marito, da morto, aveva addosso le mutande a rovescio ».

« Aspetti » disse il questore « stiamo un attimo calmi. Come faceva la signora a sapere che il marito aveva le mutande a rovescio, se a rovescio erano veramente? Che io sappia la signora non è stata sul posto e non era presente ai rilievi della Scientifica ».

Montalbano si preoccupò, aveva parlato di slancio, non aveva tenuto conto che doveva tenere fuori Jacomuzzi per il fatto che il collega aveva dato le foto alla signora. Ma non aveva vie d'uscita.

« La signora aveva le foto scattate dalla Scientifica, non so come le aveva ottenute ».

« Forse lo so io » disse il questore abbuiandosi.

« Le aveva esaminate accuratamente con una lente d'ingrandimento, me le ha fatte vedere, aveva ragione ».

« E da questa circostanza, la signora s'è fatta una sua opinione? ».

« Certo. Lei parte dalla premessa che se suo marito per caso, vestendosi, si fosse messo le mutande dalla parte sbagliata, inevitabilmente nel corso della giornata avrebbe dovuto accorgersene. Era costretto ad orinare diverse volte al giorno, prendeva dei diuretici. Quindi, partendo da questa ipotesi, la signora pensa che l'ingegnere, sorpreso in una circostanza a dir poco imbarazzante, sia stato costretto a rivestirsi in fretta e a recarsi alla mànnara, dove, sempre secondo la signora, sarebbe stato compromesso in modo irreparabile, tale almeno da farlo ritirare dalla politica. In questo senso, c'è di più ».

« Non mi risparmi nulla ».

« I due spazzini che hanno trovato il corpo, prima di avvertire la polizia, si sono sentiti in dovere di chiamare l'avvocato Rizzo, che sapevano essere l'alter ego di Luparello. Ebbene, Rizzo non solo non mostra sorpresa, stupore, meraviglia, preoccupazione, allarme, niente, invita i due a denunciare subito il fatto ».

« E questo come lo sa? Ha un'intercettazione telefonica? » spiò esterrefatto il questore.

« Nessuna intercettazione, è la trascrizione fedele del

157

breve colloquio ad opera di uno dei due spazzini. L'ha fatto per ragioni che qui sarebbe lungo spiegare ».

« Meditava un ricatto? ».

« No, meditava sulla scrittura di un'opera teatrale. Mi creda, non aveva alcuna intenzione di commettere un reato. E qui entriamo nel vivo della questione, e cioè Rizzo ».

« Aspetti. Mi ero riproposto, stasera, di trovare il modo di rimproverarla. Del suo volere spesso complicare le cose semplici. Lei ha letto sicuramente *Candido* di Sciascia. Si ricorda che il protagonista a un certo punto afferma che è possibile che le cose sono quasi sempre semplici? Io questo volevo ricordarle ».

« Sì, ma vede, Candido dice quasi sempre, non dice sempre. Ammette delle eccezioni. E questo di Luparello è un caso dove le cose vengono disposte in modo d'apparire semplici ».

« E invece sono complicate? ».

« Lo sono assai. A proposito di *Candido*, ne ricorda il sottotitolo? ».

« Certo, *Un sogno fatto in Sicilia* ».

« Ecco, qui invece siamo a una sorta d'incubo. Azzardo un'ipotesi che difficilmente troverà conferma ora che Rizzo è stato ammazzato. Dunque, nel tardo pomeriggio di domenica, verso le sette, l'ingegnere avverte telefonicamente la moglie che farà molto tardi, ha una riunione politica importante. Invece si reca nella sua casetta di Capo Massaria per un convegno amoroso. Le dico subito che un'eventuale indagine sulla persona che era con l'ingegnere presenterebbe molte difficoltà, perché Luparello era ambidestro ».

« Che significa, mi scusi? Ambidestro, al mio paese viene a dire che uno sa usare indifferentemente tanto l'arto destro quanto il sinistro, mano o piede che sia ».

« Impropriamente si dice anche di chi usa andare indifferentemente tanto con un uomo quanto con una donna ».

Serissimi, parevano due professori che stessero compilando un nuovo vocabolario.

« Ma che mi racconta!? » sbalordì il questore.

« Me l'ha fatto capire, fin troppo chiaramente, la signora Luparello. E la signora non aveva nessun interesse a contarmi una cosa per un'altra, soprattutto in questo campo ».

« Lei è andato alla casetta? ».

« Sì. Tutto ripulito alla perfezione. Ci sono dentro cose che appartenevano all'ingegnere e nient'altro ».

« Vada avanti nella sua ipotesi ».

« Durante l'atto sessuale, o subito dopo com'è probabile date le tracce di sperma rinvenute, Luparello muore. La donna che è con lui... ».

« Alt » intimò il questore. « Come fa a dire con tanta sicurezza che si trattava di una donna? Lei stesso ha appena finito d'illustrarmi l'orizzonte sessuale, piuttosto vasto, dell'ingegnere ».

« Le dirò perché ne sono certo. La donna dunque, appena capisce che il suo amante è morto, perde la testa, non sa che fare, si agita scompostamente, smarrisce perfino la collana che aveva addosso e non se ne accorge. Poi si calma e capisce che l'unica cosa che possa fare è telefonare a Rizzo, l'uomo ombra di Luparello, chiedendo aiuto. Rizzo le dice di abbandonare subito la casa, le suggerisce di nascondere la chiave in qualche posto in modo che lui possa entrare nella casetta e la rassicura, penserà a tutto lui, nessuno saprà di quel convegno concluso così tragicamente. Rasserenata, la donna esce di scena ».

« Come, esce di scena? Non è stata una donna a portare Luparello alla mànnara? ».

« Sì e no. Vado avanti. Rizzo si precipita a Capo Massaria, riveste in tutta fretta il cadavere, ha l'intenzione di portarlo fuori di lì e farlo ritrovare in qualche posto meno compromettente. Però, a questo punto, vede per terra la collana e scopre dentro l'armadio i vestiti della donna che gli ha telefonato. Allora capisce che quello può essere il suo giorno fortunato ».

« In che senso? ».

« Nel senso che è in grado di mettere spalle a muro tutti, amici e nemici politici, diventando il numero uno del partito. La donna che gli ha telefonato è Ingrid Sjostrom, una svedese, moglie del figlio del dottor Cardamone, il naturale successore di Luparello, un uomo che certamente non vorrà avere niente da spartire con Rizzo. Ora, lei capisce, una cosa è una telefonata e un'altra è la prova provata che la Sjostrom era l'amante di Luparello. Però c'è da fare ancora di più. Rizzo capisce che a buttarsi sull'eredità politica di Luparello saranno gli amici della corrente, quindi, per eliminarli, occorre metterli in condizione di vergognarsi ad agitare la bandiera di Luparello. È necessario che l'ingegnere venga totalmente sputtanato, infangato. Gli viene la bella pensata di farlo trovare alla mànnara. E dato che c'è, perché non far credere che la donna che ha voluto andare alla mànnara con Luparello sia proprio Ingrid Sjostrom, straniera, di costumi non certo monacali, in cerca di sensazioni stimolanti? Se la messinscena funziona, Cardamone è nelle sue mani. Telefona a due suoi uomini, che sappiamo, senza riuscire a provarlo, essere gli addetti alla bassa macelleria. Uno di questi si chiama Angelo Nicotra, un omosessuale, meglio noto negli ambienti loro come Marilyn ».

« Come ha fatto a conoscerne persino il nome? ».

« Me l'ha detto un mio informatore, verso il quale nutro assoluta fiducia. Siamo, in un certo senso, amici ».

« Gegè? Il suo vecchio compagno di scuola? ».

Montalbano rimase con la bocca aperta a taliare il questore.

« Perché mi guarda così? Anche io sono uno sbirro. Continui ».

« Quando i suoi uomini arrivano, Rizzo fa vestire Marilyn da donna, gli fa indossare la collana, gli dice di portare il corpo alla mànnara attraverso una strada impraticabile, addirittura il greto asciutto di un fiume ».

« Cosa voleva ottenere? ».

« Una prova in più contro la Sjostrom, che è una campionessa automobilistica e quella strada sa come farla ».

« Ne è sicuro? ».

« Sì. Ero in macchina con lei quando le ho fatto percorrere il greto ».

« Oddio » gemette il questore. « L'ha costretta? ».

« Neanche per sogno! Era completamente d'accordo ».

« Mi vuol dire quante persone ha tirato in ballo? Si rende conto che sta giocando con un materiale esplosivo? ».

« La cosa finisce in una bolla di sapone, mi creda. Dunque, mentre i due se ne vanno via col morto, Rizzo, che si è impadronito delle chiavi che aveva Luparello, torna a Montelusa ed ha facile gioco a entrare in possesso delle carte riservate dell'ingegnere che più lo interessano. Intanto Marilyn esegue perfettamente quello che gli è stato ordinato, esce dalla macchina dopo avere mimato l'amplesso, si allontana e all'altezza di una vecchia fabbrica abbandonata, nasconde la collana vicino a un cespuglio e getta la borsa al di là del muro di cinta ».

« Di quale borsa sta parlando? ».

« È della Sjostrom, ci sono persino le iniziali, l'ha casualmente trovata nella casetta e ha pensato di servirsene ».

« Mi spieghi come è arrivato a queste conclusioni ».

« Vede, Rizzo sta giocando con una carta scoperta, la collana, e una coperta, la borsa. Il ritrovamento della collana, in qualunque modo avvenga, sta a dimostrare che Ingrid era alla mànnara nello stesso momento in cui Luparello moriva. Se per caso qualcuno si mette in tasca la collana e non dice niente, gli rimane da giocare la carta della borsa. Invece è fortunato, dal suo punto di vista, la collana viene ritrovata da uno dei due spazzini che me l'ha consegnata. Lui giustifica il ritrovamento con una scusa in fondo plausibile, ma intanto ha stabilito il triangolo Sjostrom-Luparello-mànnara. La borsa invece l'ho trovata io, in base alla discrepanza di due testimonianze e cioè che la donna, quando uscì dalla macchina dell'ingegnere, aveva in mano una borsa che invece non aveva più quando sulla provinciale un'auto la fece salire a bordo. A farla breve, i suoi due uomini tornano alla casetta, mettono tutto in ordine, gli ridanno le chiavi. Alle prime luci dell'alba Rizzo telefona a Cardamone e comincia a giocare bene le sue carte ».

« Sì, certo, ma comincia anche a giocarsi la vita ».

« Questo è un altro discorso, se lo è » disse Montalbano.

Il questore lo taliò allarmato.

« Che intende dire? Che cavolo sta pensando? ».

« Semplicemente che di tutta questa storia chi ne esce sano e salvo è Cardamone. Non trova che l'ammazzatina di Rizzo sia stata per lui assolutamente provvidenziale? ».

Il questore scattò, e non si capiva se diceva sul serio o babbiava.

« Senta, Montalbano, non si faccia venire altre idee geniali! Lasci in pace Cardamone che è un galantuomo incapace di fare male a una mosca! ».

« Stavo solo scherzando, signor questore. Se mi posso permettere: ci sono novità nell'indagine? ».

« Che novità vuole che ci siano? Lei sa che tipo era Rizzo, su dieci persone che conosceva, perbene e no, otto, tra perbene e no, avrebbero voluto vederlo morto. Una giungla, una foresta di possibili assassini, mio caro, in prima o per interposta persona. Le dirò che il suo racconto ha una certa plausibilità solo per chi conosce di quale pasta fosse fatto l'avvocato Rizzo ».

Bevve un bicchierino di amaro centellinandolo.

« Lei mi ha affascinato. Il suo è un alto esercizio d'intelligenza, a tratti mi è parso un equilibrista sul filo, e senza rete. Perché, a dirla brutalmente, sotto il suo ragionamento c'è il vuoto. Lei non ha nessuna prova di quello che mi ha raccontato, tutto potrebbe essere letto in un altro modo, e un bravo avvocato saprebbe smontare le sue illazioni senza stare troppo a sudare ».

« Lo so ».

« Cosa conta di fare? ».

« Domattina dirò a Lo Bianco che se vuole archiviare, non ci sono difficoltà ».

Sedici

« Pronto, Montalbano? Sono Mimì Augello. Ti ho svegliato? Scusami, ma era per rassicurarti. Sono tornato alla base. Tu quando parti? ».

« L'aereo da Palermo è alle tre, quindi da Vigàta mi dovrò muovere verso le dodici e mezzo, subito dopo mangiato ».

« Allora non ci vedremo, perché io penso di essere in ufficio un poco più tardi. Ci sono novità? ».

« Te le dirà Fazio ».

« Tu quanto pensi di stare fuori? ».

« Fino a giovedì compreso ».

« Divertiti e riposati. Fazio ha il tuo numero di Genova, vero? Se ci sono cose grosse, ti chiamo ».

Il suo vice, Mimì Augello, era tornato puntuale dalle ferie, quindi poteva partirsene senza problemi, Augello era persona capace. Telefonò a Livia, dicendole a che ora sarebbe arrivato, e Livia, felice, gli fece sapere che sarebbe stata ad aspettarlo all'aeroporto.

Appena in ufficio, Fazio gli comunicò che gli operai della fabbrica del sale, che erano stati tutti messi in mobilità, pietoso eufemismo per dire che erano stati tutti licenziati, avevano occupato la stazione ferroviaria. Le loro femmine, stese sui binari, impedivano il transito dei treni. L'Arma era già sul posto. Sarebbero dovuti andare anche loro?

« A fare che? ».

« Mah, non so, a dare una mano ».

« A chi? ».

« Come a chi, dottò? Ai carabinieri, alle forze dell'ordine, che poi siamo noi, sino a prova contraria ».

« Se proprio ti scappa di dare una mano a qualcuno, dalla a quelli che occupano la stazione ».

« Dottò, io l'ho sempre pensato: lei comunista è ».

« Commissario? Sono Stefano Luparello. Mi perdoni. Mio cugino Giorgio si è fatto vedere da lei? ».

« No, non ho notizie ».

« In casa siamo molto preoccupati. Appena si è ripreso dal sedativo, è uscito ed è sparito di nuovo. Mamma vorrebbe un consiglio, non sarebbe il caso di rivolgerci alla questura per fare delle ricerche? ».

« No. Dica a sua madre che non mi pare il caso. Giorgio tornerà a farsi vivo, le dica di stare tranquilla ».

« Ad ogni modo, se lei ha notizie, la prego di farcelo sapere ».

« Sarà molto difficile, ingegnere, perché io sto partendo per un periodo di ferie, tornerò venerdì ».

I primi tre giorni trascorsi con Livia nella sua villetta di Boccadasse gli fecero quasi del tutto scordare la Sicilia, grazie a certi sonni piombigni che si faceva, a recupero, tenendosi Livia abbracciata. Quasi del tutto, però, perché due o tre volte, a tradimento, l'odore, la parlata, le cose della sua terra lo pigliarono, lo sollevarono in aria senza peso, lo riportarono, per pochi attimi, a Vigàta. E ogni volta, ne era sicuro, Livia si era accorta di quel

165

momentaneo sfagliamento, di quell'assenza, e l'aveva taliato senza dire niente.

La sera del giovedì ricevette una telefonata del tutto
inattesa di Fazio.

« Niente d'importante, dottore, era solo per sentire la
sua voce e avere la conferma che lei domani torna ».

Montalbano sapeva benissimo che i rapporti del brigadiere con Augello non erano dei più facili.

« Hai bisogno di conforto? Quel cattivo di Augello ti
ha per caso fatto totò sul culetto? ».

« Non gli va mai bene quello che faccio ».

« Porta pazienza, ti ho detto che domani torno. Ci sono novità? ».

« Aieri hanno arrestato il sindaco e tre della giunta.
Concussione e ricettazione. Per i lavori d'ampliamento
del porto ».

« Finalmente ci sono arrivati ».

« Sì, dottò, ma non si faccia illusioni. Qui vogliono
copiare i giudici di Milano, ma Milano è assai distante ».

« C'è altro? ».

« Abbiamo ritrovato Gambardella, se lo ricorda? Quello che hanno cercato d'ammazzare mentre faceva benzina? Non era steso campagna campagna, ma stava incaprettato nel bagagliaio della sua stessa automobile, alla
quale poi hanno dato fuoco, bruciandola completamente ».

« Se l'hanno bruciata completamente, come avete fatto
a capire che Gambardella era stato incaprettato? ».

« Hanno usato il filo di ferro, dottò ».

« Ci vediamo domani, Fazio ».

E questa volta non furono solo l'odore e la parlata

della sua terra a risucchiarlo, ma l'imbecillità, la ferocia, l'orrore.

Dopo aver fatto l'amore, Livia se ne stette un pezzo silenziosa, poi gli prese una mano.
« Che c'è? Che ti ha detto il tuo brigadiere? ».
« Niente d'importante, credimi ».
« E allora perché ti sei incupito? ».
Montalbano si confermò nella sua convinzione: se c'era al mondo una persona alla quale avrebbe potuto cantare la messa intera e solenne, quella era Livia. Al questore aveva solo cantata la mezza messa, e magari saltando. Si alzò a metà sul letto, si sistemò il cuscino.
« Ascoltami ».

Le disse della mànnara, dell'ingegnere Luparello, dell'affetto che un suo nipote, Giorgio, nutriva per lui, di come a un certo punto quest'affetto si fosse (stravolto? corrotto?) cangiato in amore, passione, dell'ultimo convegno nella garçonnière di Capo Massaria, della morte di Luparello, di Giorgio come impazzito dalla paura dello scandalo, non per sé, ma per l'immagine, la memoria dello zio, di come il giovane l'avesse rivestito alla meglio, trascinato in macchina per portarlo via e farlo ritrovare altrove, disse della disperazione di Giorgio nel rendersi conto che quella finzione non reggeva, che tutti si sarebbero accorti che trasportava un morto, dell'idea di mettergli il collare anatomico che fino a qualche giorno prima lui stesso aveva dovuto portare e che aveva ancora in macchina, di come avesse tentato di celare il collare con uno straccio nero, di come a un tratto avesse temuto di cadere in preda all'epilessia di cui soffriva, di come avesse telefonato a Rizzo, le spiegò chi era l'avvocato, di come questi avesse capito che quella morte, aggiustata, poteva essere la sua fortuna.

Le parlò di Ingrid, di suo marito Giacomo, del dottor Cardamone, della violenza, non trovò altra parola, che questi usava alla nuora, («che squallore» commentò Livia) di come Rizzo sospettasse di quella relazione, di come avesse cercato di coinvolgere Ingrid, riuscendoci con Cardamone ma non con lui, le raccontò di Marilyn e del suo complice, dell'allucinante viaggio in automobile, dell'orrenda pantomima dentro la macchina ferma alla mànnara («scusami un attimo, devo bere qualcosa di forte»). E quando fu tornata le raccontò ancora gli altri sordidi dettagli, la collana, la borsa, i vestiti, le disse della straziante disperazione di Giorgio alla vista delle foto, nel capire il doppio tradimento di Rizzo verso la memoria di Luparello e verso di lui, che quella memoria voleva a tutti i costi salvare.

« Aspetta un attimo » disse Livia « è bella questa Ingrid? ».

« Bellissima. E siccome capisco benissimo quello che stai pensando, ti dirò di più: ho distrutto tutte le finte prove a suo carico ».

« Questo non è da te » fece Livia, risentita.

« Ho fatto anche di peggio, stammi a sentire. Rizzo, che ha in pugno Cardamone, raggiunge il suo obiettivo politico, ma commette un errore, sottovaluta la reazione di Giorgio. È un giovane di straordinaria bellezza ».

« E dai! Anche lui! » tentò di scherzare Livia.

« Ma è di carattere assai fragile » proseguì il commissario. « Sull'onda dell'emozione, sconvolto, corre alla casetta di Capo Massaria, s'impadronisce della pistola di Luparello, s'incontra con Rizzo, lo massacra e poi gli spara alla nuca ».

« L'hai arrestato? ».

« No, ti ho detto che avevo fatto di peggio che eliminare prove. Vedi, i miei colleghi di Montelusa pensano, e non sarebbe ipotesi campata in aria, che ad ammazzare Rizzo sia stata la mafia. E io ho loro taciuto quella che credo sia la verità ».

« Ma perché?! ».

Montalbano non rispose, allargò le braccia. Livia, andò nel bagno, il commissario sentì l'acqua scosciare nella vasca. Quando più tardi le chiese il permesso d'entrare, la trovò ancora nella vasca piena, il mento appoggiato alle ginocchia alzate.

« Tu lo sapevi che in quella casa c'era una pistola? ».

« Sì ».

« E l'hai lasciata là? ».

« Sì ».

« Ti sei autopromosso, eh? » domandò Livia dopo essere rimasta a lungo in silenzio. « Da commissario a dio, un dio di quart'ordine, ma sempre dio ».

Sceso dall'aereo, si precipitò al bar dell'aeroporto, aveva bisogno di un caffè vero dopo l'ignobile sciacquatura scura che gli avevano ammannita in volo. Si sentì chiamare, era Stefano Luparello.

« Che fa, ingegnere, se ne torna a Milano? ».

« Sì, riprendo il lavoro, sono stato troppo tempo assente. E vado anche a cercarmi una casa più grande, appena l'ho trovata, mia madre mi raggiungerà. Non voglio lasciarla sola ».

« Fa benissimo, per quanto a Montelusa abbia la sorella, il nipote... ».

L'ingegnere s'irrigidì.

« Ma allora lei non sa? ».

« Cosa? ».

« Giorgio è morto ».

Montalbano posò la tazzina, la scossa gli aveva fatto
traboccare il caffè.

« Com'è stato? ».

« Si ricorda che il giorno della sua partenza le telefo-
nai per sapere se con lei si era fatto vivo? ».

« Ricordo benissimo ».

« La mattina dopo non era ancora rientrato. Allora mi
sono sentito in dovere d'avvertire polizia e carabinieri.
Hanno fatto ricerche assolutamente superficiali, mi scusi, forse erano troppo impegnati a indagare sull'assassinio
dell'avvocato Rizzo. Nel pomeriggio di domenica un pescatore, da una barca, ha visto un'auto precipitata sulla
scogliera proprio sotto la curva Sanfilippo. Conosce la
zona? È poco prima di Capo Massaria ».

« Sì, conosco il posto ».

« Bene, il pescatore ha remato in direzione della macchina, ha visto che al posto di guida c'era un corpo ed è
corso ad avvertire ».

« Sono riusciti a stabilire le cause dell'incidente? ».

« Sì. Mio cugino, lei lo sa, dal momento della morte di
papà viveva praticamente in stato confusionale, troppi
tranquillanti, troppi sedativi. Invece di seguire la curva,
ha tirato dritto, e in quel momento correva molto, sfon-
dando il muretto. Non si era più ripreso, aveva un'auten-
tica passione per mio padre, l'amava ».

Disse quelle due parole, passione e amore, in tono fermo, preciso, quasi ad eliminare con la nettezza del con-
torno ogni possibile sbavatura di senso. Dall'altoparlante
chiamarono i passeggeri del volo per Milano.

Appena fuori dal parcheggio dell'aeroporto, dove aveva lasciato l'auto, Montalbano spinse l'acceleratore a tavoletta, non voleva pensare a nulla, solo concentrarsi nella guida. Dopo un centinaio di chilometri si fermò sulla sponda di un laghetto artificiale, scese, aprì il bagagliaio, prese il collare anatomico, lo gettò in acqua, aspettò che affondasse. Solo allora sorrise. Aveva voluto agire come un dio, aveva ragione Livia, ma quel dio di quart'ordine alla sua prima, e sperava, ultima esperienza, ci aveva indovinato in pieno.

Per raggiungere Vigàta doveva per forza passare davanti la questura di Montelusa. E fu proprio lì che la sua auto decise di rendersi di colpo defunta. Montalbano provò e riprovò a farla ripartire senza risultato. Scese e stava per andare in questura a chiedere aiuto, quando gli si avvicinò un agente che lo conosceva e aveva visto le sue inutili manovre. L'agente sollevò il cofano, armeggiò un poco, richiuse.

« Tutto a posto. Però gli faccia dare un'occhiata ».

Montalbano rientrò in macchina, accese il motore, si chinò a raccogliere dei giornali che erano caduti. Quando si rialzò, vide Anna appoggiata al finestrino aperto.

« Come stai, Anna? ».

La ragazza non rispose, lo taliava, semplicemente.

« E allora? ».

« E tu saresti un uomo onesto? » sibilò.

Montalbano capì che si riferiva alla notte in cui aveva visto Ingrid seminuda, distesa sul suo letto.

« No, non lo sono » disse. « Ma non per quello che pensi tu ».

Indice

La forma dell'acqua

Questo volume è stato stampato
su carta Palatina
delle Cartiere Miliani di Fabriano
nel mese di maggio 1999

Stampa: Tipografia Priulla s.r.l., Palermo
Legatura: LE.I.MA. s.r.l., Palermo

La memoria